LE GUIDE DU PARENT IDÉAL

Ce livre appartient à

2348, rue Ontario est
Montréal, Qc
H2K 1W1
Tél.: (514) 522-2244

Éditeur : Pierre Nadeau
Vice-présidente production et développement : Annie Tonneau
Photos de la couverture : Daniel Poulin
Page couverture : Lucie Chicoine
Promotion : Jean Lorrain
Mise en pages : Iris Communication
Distribution : Québec-Livres
Une division de Groupe Quebecor
4435, boulevard des Grandes Prairies
Saint-Léonard, Qc
H1R 3N4
Tél.: (514) 327-6900

Dépôt légal : quatrième trimestre 1991
Bibliothèque nationale du Québec
Bibliothèque nationale du Canada

LE GUIDE DU PARENT IDÉAL

RÉNALD LÉTOURNEAU

À cette femme aux cheveux noirs
qui a toujours cru en moi
et qui m'a fait connaître le paradis,
je dédie ce premier livre d'une longue série.

Rénald

TABLE DES MATIÈRES

L'enfer?

La religion chrétienne définit l'enfer comme un lieu destiné au supplice des damnés. Que l'on y croie ou non, une loi universelle régit nos actes. Cette loi prétend que tous les gestes que l'on pose entraînent inévitablement des conséquences. En bref, tout ce que l'on fait aujourd'hui aura une répercussion sur l'avenir. Cela ne veut pas dire que si on fait un geste bienfaisant on en retirera du bien et que si on fait un geste malfaisant on en retirera du mal. On veut plutôt dire que l'indifférence n'existe pas, lorsqu'on parle de l'univers.

Je rencontre beaucoup de gens lors de mes conférences de motivation. Après chacune d'elles, j'adore parler avec ces gens et, surtout, les écouter me raconter ce qu'ils attendent de la vie et comment ils s'y prennent pour arriver à leurs fins. Malheureusement, trop peu adoptent une ligne saine, franche et honnête pour réussir. La promiscuité, la drogue et l'excès d'alcool sont les clés idéales pour ouvrir les portes de l'enfer. Il y a quelques années, seuls les marginaux nageaient dans ce monde scabreux. Aujourd'hui, c'est à dix, onze et douze ans que l'on consomme des drogues ou que l'on vend son corps pour quelques dollars. Les chiffres à ce sujet sont affolants, pour ne pas dire bouleversants.

La société se laisse aller. Comme le dit si bien ce proverbe : Si tu n'imposes pas tes conditions à la vie, tu dois accepter que la vie t'impose ses conditions.

Au rythme où vont les choses, l'être humain est en train de se suicider. Comme si les drogues et autres stimulants du genre n'étaient pas assez, on s'amuse à détruire l'environnement. Les millions de gallons de produits chimiques toxiques déversés dans les eaux contribuent eux aussi à nous débarrer les portes de l'enfer.

Si on ne se prend pas en main, on verra le châtiment de très près. En écrivant ces lignes, j'entends déjà les commentaires de certains : Où va-t-il avec son enfer? Je n'y crois pas. Voir si le bon Dieu ou le diable vont venir nous punir parce qu'on a commis un péché!

En effet, je ne vous demande pas de croire à l'enfer comme on nous l'a défini à la petite école. Je vous mets en garde contre les conséquences quasi inévitables de vos gestes. La justice de l'homme n'existe peut-être pas sur cette terre, mais l'équité universelle demeure.

Dans les prochaines pages, je parlerai du SIDA, cette maladie qui bouleverse la vie de bien des gens. Cesser de vivre sur cette terre est, pour beaucoup, la fin de l'existence. Si l'on contracte le virus du SIDA, quel sera notre état au cours des prochains jours, des prochaines semaines ou des prochains mois? Pourra-t-on alors dire avec justesse que l'enfer nous attend?

Lorsque la maladie de l'alcoolisme nous touche et qu'on le réalise, si on veut s'en sortir, devra-t-on faire des efforts remarquables?

Qu'est-ce que l'enfer? Chacun a sa définition, selon ses croyances, son vécu ou sa profondeur spirituelle.

PREMIÈRE PARTIE

L'enfance

L'enfance, c'est la base de toute une vie. Dans ma famille, nous étions cinq enfants. Chacun a sa personnalité quoique nous ayons reçu la même éducation. L'un est sédentaire, l'autre agressif. L'un est manuel, l'autre intellectuel. D'aucuns performent dans le sport, d'autres dans la musique. Les possibilités de l'être humain sont immenses. Ce n'est pas parce que l'on est issu d'une même famille que l'on développe les mêmes aptitudes.

Il n'y a pas que l'éducation parentale qui crée notre personnalité. Nos besoins affectifs comptent pour environ quatre-vingt pour cent de la personnalité que nous développerons de l'enfance à l'âge adulte.

Chaque carence qui viendra croiser le chemin de notre enfance donnera un trait différent à notre personnalité. Ce que l'on demande le plus à la vie c'est L'AMOUR. Nous désirons tous nous faire aimer. Lorsque nous sommes enfants, ce besoin est d'autant plus fort que nous ne pouvons nous défendre seuls, nous nourrir seuls, bref subvenir à nos propres besoins.

De ce fait, l'amour que l'on obtient des autres nous assure une certaine survie. Tous demandent à se faire aimer. Déjà petit, on fait des sourires, des finesses afin de conquérir le coeur des adultes qui nous entourent.

À l'adolescence, puisque l'on essaie de se détacher de la cellule familiale, on tente de plaire aux amis et amies en se joignant aux groupes. D'où viennent d'ailleurs les phénomènes de «gangs»? On doit à tout prix se faire accepter et aimer des autres. Dans le cas des phénomènes de «gangs», la carence en amour au sein de la famille joue beaucoup. C'est-à-dire que l'adolescent qui se sent aimé par ses parents sera beaucoup moins vulnérable et attiré par de tels mouvements.

Comme vous pouvez le constater, l'enfance est une partie importante de notre vie. Elle façonne tout le reste. Dès les premiers pas, on se découvre déjà une personnalité. La détermination que tous les enfants ont de marcher est remarquable. Malheureusement, le temps passe et ce goût de réussir s'atténue progressivement.

C'est ici que se développeront nos peurs. C'est avec elles que nous grandirons et réussirons ou que nous aurons de la difficulté à accomplir certaines tâches, selon les peurs que nous aurons développées.

Laissez-moi vous parler de la peur. Ce petit mot de quatre lettres ne s'écrit pas ainsi pour rien. Si l'on détache chaque lettre de ce mot, on obtient : P-E-U-R. Ce qui veut dire :

Prétention

Erronée d'

Une

Réalité

Mais qu'est-ce qu'une «Prétention Erronée d'Une Réalité?» Cela veut dire que l'on «prétend erronément» que quelque chose va arriver. Je vous donne un exemple. Une personne qui a peur des chiens n'a pas peur de l'animal en question. Ce dont elle a peur c'est que l'animal la morde.

Donc, elle prétend sans fondement que, si elle passe près du chien, il l'attaquera et voudra la mordre. De ce fait, la prétention est erronée.

Dès notre enfance, les peurs s'emparent de nous et nous bloquent dans l'accomplissement de projets futurs. La peur est donc irraisonnée et irrationnelle. À l'âge adulte, on hésite à entreprendre de grandes réalisations, craignant souvent que celles-ci ne fonctionnent pas. Pourquoi? Tout simplement parce que nous «Prétendons Erronément» que nous pouvons connaître un échec.

La peur de ne pas être aimé par les autres fait aussi partie de notre culture. Être rejeté par quelqu'un est des plus troublants. Regardez autour de vous ceux qui ont reçu de l'amour. Pas des cadeaux, des autos ou des bijoux, mais du véritable amour. Ces gens-là sont équilibrés mentalement. Ils savent donner. Ce qui est juste dans ce phénomène, c'est que l'on n'a pas à être riche pour pouvoir donner de l'amour.

On croit souvent que les riches sont mieux. Les parents fortunés donnent plus à leurs enfants. Peut-être, mais ce dont je vous parle ici ne coûte rien. Donner de l'amour, ce n'est pas donner une voiture de l'année. C'est être capable de respecter l'être humain qui est devant nous. C'est de voir les qualités des gens, peu importe leur classe sociale.

Malheureusement, on aime bien mal. Regardez les gens, ce qu'ils veulent, ce n'est pas donner de l'amour mais en recevoir. Ils donnent du matériel pour recevoir du spirituel! Ils n'aiment pas, ils veulent être aimés. Il faudrait d'abord définir ce qu'est l'amour dans son sens véritable. Si notre enfance nous influence, est-ce que le fait de mal aimer peut venir de ce segment de notre vie?

Si je vous parle de l'enfance si souvent dans ce chapitre, c'est que toutes nos actions actuelles sont influencées par celle-ci. Même l'amour. Ceux qui savent vraiment ce qu'est l'amour vous diront qu'il se développe et s'apprivoise. Il ne faut donc pas confondre coup de foudre et amour.

Le coup de foudre est une impulsion sexuelle qui nous attire vers un autre être humain. L'amour, par contre, est un sentiment que l'on développe et que l'on approfondit tout au long de l'évolution de la relation. On doit aimer inconditionnellement, c'est-à-dire sans restriction.

J'ai connu une mère de famille qui donnait tout à ses enfants. Elle les véhiculait partout où ils devaient aller sous prétexte qu'elle les aimait. Eh bien! ceci n'est pas de l'amour. Elle les rendait plutôt dépendants d'elle afin qu'ils ne puissent être autonomes. Je suis sûr qu'elle ne s'en rendait pas compte. Elle voulait simplement leur prouver qu'elle les aimait. Toutefois, c'est son propre besoin affectif qui la poussait à agir de la sorte.

En s'imposant partout dans leur vie, elle se rendait ainsi indispensable. De ce fait, ses enfants ne pouvaient agir sans qu'elle y soit. Dans sa tête, ses enfants ne pouvaient que l'aimer puisque c'est grâce à elle qu'ils pouvaient faire tant de choses. Sans elle, ils étaient handicapés.

Plusieurs d'entre vous achètent les gens de la sorte. On ne s'en rend tout simplement pas compte. Donner quelque chose afin de se faire apprécier par quelqu'un, ce n'est pas du véritable amour.

Par opposition, vouloir à tout prix être aimé par quelqu'un est aussi une mauvaise conception de l'amour. C'est ce que j'appelle le prolongement de l'amour enfant.

Lorsque l'on est enfant, on veut s'attirer la sympathie de tout le monde. On est prêt à faire n'importe quoi pour attirer l'attention. À l'adolescence, nous devenons beaucoup plus sélectifs. Ce n'est pas la société entière qui doit nous aimer, mais plutôt les gens ou les groupes que nous aurons choisis.

Ceux qui ont le syndrome de l'amour enfant font persister ce besoin d'être dépendants de quelqu'un, tout comme l'enfant dépend de sa mère. Ils n'aiment pas vraiment. Ils veulent tout simplement être aimés et dépendants.

Après une de mes conférences prononcée devant un groupe de parents, un homme d'une quarantaine d'années vient me rencontrer afin de se faire éclairer sur certains sujets. Il me raconte que sa femme l'a laissé il y a deux ans et qu'à cette époque il croyait mourir. Il me dit : «Même si je n'étais pas souvent à la maison et que je ne m'occupais pas d'elle quand j'y étais, je l'aimais. Elle était tout pour moi. J'ai cru mourir lorsqu'elle m'a laissé. Je lui disais qu'elle ne pouvait pas me faire ça, que je serais un homme fini.»

Jusqu'à présent ça a l'air presque normal mais écoutons le reste : «Fort heureusement, j'ai rencontré une superbe femme un mois plus tard et, depuis, c'est le grand amour.»

Voilà où ça se gâte! Être prêt à mourir parce qu'une femme que l'on dit aimer nous laisse et être déjà en amour un mois après! Voilà le plus bel exemple de l'amour enfant. Celui qui nous fait oublier en très peu de temps. Si ce n'est pas toi, ce sera une autre, pour autant que quelqu'un m'aime ou, plutôt, que je puisse dépendre de quelqu'un.

Comme vous pouvez le constater, l'enfance nous laisse des séquelles jusqu'à l'âge adulte. C'est la raison pour laquelle j'insiste tant pour vous en parler dans cette introduction. Le reste de notre vie, ainsi que l'enfer auquel je fais allusion, dépend en partie de cette étape. Notre éducation et la manière dont notre amour est comblé constituent les deux facteurs majeurs de notre personnalité.

Si l'enfer vous attend, c'est peut-être dû à votre éducation. Par contre, il s'agit peut-être du manque d'amour dont plusieurs ont souffert. Le vide causé par cette lacune en a poussé plus d'un à se jeter dans l'alcool ou la drogue. Ce paradis que l'on nous promettait à la fin de nos jours devenait alors de moins en moins accessible. Cette solitude qui nous hantait a fini par nous envahir de sorte que la seule façon d'oublier la vie terrestre «et son manque d'amour pour nous», c'était de fuir avec des moyens artificiels.

En parcourant les prochaines pages, vous verrez que notre besoin affectif est si grand qu'il ne donne pas de chance à ceux et celles qui ne veulent pas nous donner l'amour que nous réclamons. On crie tous les jours «AIMEZ-MOI, AIMEZ-MOI». D'aucuns ont une réponse, d'autres pas. Ces derniers sombrent bien souvent dans la misère, la solitude et l'isolement. Les problèmes d'amour qui ont perturbé leur enfance reviennent ainsi à la surface et paraissent insolubles. Ils sont incapables de supporter leur état.

Cette vie, qui leur semble un purgatoire, devient petit à petit l'enfer dont je fais mention. La félicité éternelle leur paraît inaccessible. Le seul moyen de s'en sortir est de fuir la réalité. Encore une fois, notre enfance nous joue un tour. Pourtant, il serait possible de se prendre en main, mais dans ce monde de facilité, il nous semble trop ardu de maîtriser la situation et de se donner une deuxième chance.

Le corps et l'âme

Les croyances voulant que notre corps brûle pour l'éternité lorsque nous serons en enfer ne tenaient que sur la peur. Si l'homme a un corps et une âme, est-ce que l'âme peut ressentir les douleurs physiques? Alors pourquoi s'énerver?

Avant de procéder à l'élaboration de ce chapitre, il faudrait d'abord définir ce que nous sommes. Afin de simplifier le discours, établissons plutôt que l'être humain est constitué d'un corps que l'on appellera le physique et d'une âme que l'on nommera le spirituel. C'est notre âme qui nous permet de vivre et de bouger, comme l'indique bien son étymologie, *anima*, comme dans animer.

Cette âme est immortelle et quittera notre corps dès la mort de ce dernier. En réalité, on ne meurt pas, seul le corps physique perd sa motricité. Comme il est palpable, il répondra aux lois de la terre, c'est-à-dire qu'il se décomposera. L'âme, pour sa part, n'étant pas tangible, ne peut mourir. Mais où va-t-elle? Chacun a ses croyances et ses points de vue là-dessus. Toutefois, je ne crois pas nécessaire d'aborder ce sujet pour les besoins de ce livre.

Ce que l'on doit retenir, c'est que sur la terre nous avons un corps physique, sans lequel nous ne pourrions être vus ou reconnus par les autres êtres humains. De ce fait, nous y portons beaucoup d'attention.

Maintenant que l'on a défini ce que nous sommes, nous allons analyser la raison pour laquelle nous sommes ici. Si l'on poursuit la définition ci-dessus mentionnée, l'âme ne vient pas sur la terre que pour faire de vulgaires expériences. Elle vient expérimenter la contrainte d'un corps physique. Par exemple, si par votre pensée vous pouvez vous déplacer d'un bout à l'autre du pays en seulement une fraction de seconde, vous venez de vivre l'expérience de votre âme, qui avant de prendre un corps physique pouvait se transporter à cette vitesse.

En plus du corps physique à transporter, l'âme connaîtra aussi les souffrances physiques et psychologiques. Lorsqu'elle quittera le corps, elle aura acquis la connaissance de ces sensations. C'est pourquoi nous faisons une vie si changeante. Un jour ça va bien et le lendemain... Nous avons tous à expérimenter la douleur physique, peu importe son degré. Nous avons tous à traverser le deuil, cette expérience qui change la vie de bien des gens et qui en laisse d'autres sans réponse.

Comment, psychologiquement, passons-nous au travers des situations comme la séparation, le divorce, l'épuisement au travail, la perte d'un emploi ou le suicide d'un proche? L'âme étant immortelle, elle ne peut connaître ces conditions qu'en prenant un corps physique.

De ce fait, l'être humain accordera beaucoup plus d'importance à son corps physique qu'à son spirituel. L'ambivalence est que le corps meurt tandis que l'âme poursuit sa route et que la majorité des gens s'appliquent à maquiller et à parer leur corps temporaire et ne nourrissent pas leur âme éternelle. Regardons ensemble tout ce que nous faisons pour notre corps en comparaison des soins que nous apportons à notre âme.

BIEN PARAÎTRE : Nous donnons à notre corps une grande importance. Nous le couvrons de vêtements qui, selon la situation, ont une valeur plus ou moins grande. Par exemple, si nous assistons à une réception, nous porterons des vêtements coûteux. Lorsqu'une jeune fille sort pour la première fois avec un garçon, elle se coiffera, se maquillera et se parfumera afin d'attirer l'être aimé par son corps physique. Il en va de même pour le garçon.

Pour l'être humain, c'est le premier contact. La vue est le sens qui nous permet de définir l'autre instantanément quoique superficiellement. Comme je l'enseigne lors de mes ateliers de formation à différents groupes de gens d'affaires, c'est dans les quatre à dix premières secondes que les gens se font une impression de vous. On n'a pas une seconde chance de faire une première impression!

De ce fait, l'aspect physique nous pousse à agir de différentes manières, selon les circonstances. Ceux et celles qui ont une profondeur spirituelle n'échappent pas à cette règle mais l'appliquent différemment. Vous connaissez sans doute des gens qui jugent toujours les autres selon ce qu'ils portent. J'ai déjà entendu : «Moi je ne passerais même pas la tondeuse *amanché* comme ça, de peur que quelqu'un me voie!» Le jour où l'aspect physique prend une telle importance, l'équilibre avec la spiritualité est compromis. Quelle faiblesse cette personne peut-elle bien vouloir cacher pour agir ainsi?

Ces personnes jugent les autres selon leur apparence. Ceux qui jugent les autres de la sorte croient que les autres les jugent de la même manière. Alors, lorsque notre physique devient si important, c'est que nous donnons beaucoup d'importance à celui des autres. Ces gens ont peu de profondeur et une spiritualité fragile.

ÉPATER : De nos jours, les valeurs matérielles déterminent ce que nous sommes. Plus nous possédons d'objets luxueux, plus nous avons une grande valeur aux yeux de la société. La réussite d'une personne passe par son portefeuille et ses actifs. Si tu as une voiture de l'année, une grosse maison et un chalet, tu es l'exemple de la réussite. Si tu demeures en appartement et que tu te déplaces en métro ou en autobus, tu n'as rien d'intéressant pour les gens.

Comme je le dis si bien depuis le début de ce chapitre sur le corps et l'âme, ce que l'on vient chercher sur cette terre ce sont des expériences profondes. Devenir riche et en vouloir plus ne veut pas dire que l'on n'a aucune profondeur. Tout est dans l'intention et le but. La satisfaction de créer des entreprises et de donner de l'emploi à des gens peut être très valorisante. Dans ce cas, ce n'est pas la sorte de voiture qui nous préoccupe.

Par contre, de l'extérieur, les gens le verront différemment. Ils regarderont les gagnants comme des gens qui ont réussi dans la vie car ils ont beaucoup d'argent. Laissez-moi vous dire que ce ne sont pas les valeurs terrestres qui déterminent si l'on réussit. Il faut d'abord démêler «réussir dans LA vie» et «réussir SA vie».

Dans le deuxième cas, il n'est pas nécessaire d'être millionnaire. La richesse que l'on doit posséder doit être intérieure. Combien de gens riches se suicident ou sombrent dans l'alcool ou la drogue? Pourtant, ils ne devraient pas, ils peuvent se payer ce qu'ils veulent. Non, ce n'est pas l'argent qui détermine ce que nous sommes. Les valeurs données sur la terre sont purement spéculatives. La preuve, c'est que deux terrains de dimensions identiques ont une valeur différente selon leur situation. La qualité et la richesse du sol n'ont aucune importance. L'homme détermine un prix sur un bien matériel et l'on respecte ses allégations. Plus c'est cher, moins de gens peuvent se le permettre. Alors, ceux qui peuvent s'en prévaloir sont reconnus. Fort heureusement, l'âme n'a pas de prix.

Mais, comme nous avons un corps physique, il nous faut de l'argent pour subvenir à nos besoins. Alors on doit se chercher du travail. Comme notre ego est élevé, on ne prendra pas n'importe quoi. On veut un travail pas trop forçant et à la fois rémunérateur. L'emploi que l'on aura devra plaire à l'entourage. Rien qui doit nous faire mal paraître ou nous abaisser devant nos parents et amis. Finalement, on se retrouve avec un emploi qui souvent fait plaisir à tout le monde autour de soi, mais qui n'est pas tout à fait ce que l'on aimerait.

J'ai remarqué que trop de gens s'obligent à faire des choses, croyant que les autres s'attendent à ce qu'ils les fassent. Laissez-moi vous conter la véritable histoire d'une ex-copine de classe qui est devenue mannequin.

Alors que j'étais à l'école, au niveau secondaire, on me demandait souvent comme animateur de différents spectacles ou parades de mode. Une copine de classe était, pour sa part, reconnue pour sa beauté et son talent de mannequin. Nous espérions tous une carrière professionnelle pour elle. Un jour, elle déménagea de Québec à Montréal pour exercer son métier. Quelques mois plus tard, voulant se réaliser davantage, elle déménagea à Toronto, puis à New York.

Alors que j'étais à la maison, le téléphone sonna.

«Bonjour!

– Comment ça va, Rénald?» C'était elle qui demandait à me rencontrer afin de discuter avec moi. Nous sommes allés dans un restaurant et la discussion allait, en bref, comme ceci :

«Rénald, je ne suis plus mannequin.

– Comment? Mais qu'est-ce que tu vas faire?» (Comme si elle ne pouvait faire autre chose que d'être mannequin.) Elle me dit alors :

«Je n'ai jamais aimé ça. Lorsque je participais à des parades de mode à l'école c'était plaisant. Un peu plus tard, quand tout le monde me poussait à poursuivre une carrière professionnelle, j'ai dû déménager à Montréal et laisser tous mes amis à Québec. Le même phénomène s'est produit lorsque je suis déménagée à Toronto et à New York. Je me sentais seule. Ma parenté, mes amis et ma vie étaient ici et je sacrifiais tout pour une carrière qui épatait les autres. Ce n'est pas moi, je n'aime pas vraiment ça.»

19

À la suite de ce récit, je vous demande : Aimez-vous vraiment ce que vous faites ou est-ce que vous le faites parce qu'on vous y associe. J'ai vu beaucoup trop de gens mépriser le travail qu'ils faisaient. D'autres étaient peut-être dans la même situation, dans une carrière différente et auraient voulu changer d'emploi avec ces gens.

Vouloir faire plaisir aux autres, vouloir épater, penser que les autres vont nous aimer davantage parce que nous faisons une carrière plutôt qu'une autre, peut nous créer plus d'ennuis que de joies. N'essayez pas de réussir dans la vie, au sens propre du terme. Réussissez plutôt *votre* vie.

La plupart des gens qui ont connu la mort de près ont changé leur attitude. Ils désirent vivre et non pas exister comme plusieurs le font actuellement. Ils ont un travail qu'ils aiment et savent faire le partage entre celui-ci et la famille. Ils ont compris que le temps ne recule pas. Chaque seconde est trop importante pour qu'on n'en jouisse pas. Vouloir épater la galerie, ça nous rend souvent triste et le jour où nous nous en apercevons, c'est l'enfer!

L'ARGENT : On en veut tous. Plus on en a, plus on en veut. Des gens sont prêts à tuer pour en avoir; d'autres, à voler. C'est un véritable passe-partout. Il nous rappelle que les biens matériels sont omniprésents. Il nous fait investir le tiers de nos journées en temps pour en posséder.

Avez-vous déjà calculé le nombre d'heures que vous passez à travailler afin de gagner cette monnaie qui servira à vous nourrir, vous loger et vous vêtir? Une personne qui travaille dès l'âge de vingt-cinq ans et ce, jusqu'à 65 ans, à une moyenne de 35 heures par semaine, aura passé environ 68 600 heures à gagner sa vie. Pour vous représenter ce tableau en jours, ceci équivaut à un peu plus de 2 858 journées de travail sans arrêt, vingt-quatre heures sur vingt-quatre.

Ce qui me fascine le plus dans ce piège que nous tend l'argent, ce sont les heures supplémentaires que l'on ajoute aux chiffres ci-dessus mentionnés. J'ai vu des gens y laisser leur santé et même leur vie pour avoir plus d'argent. Nous avons beaucoup de difficulté à équilibrer le matériel et le spirituel.

Mais qu'est-ce qui nous pousse à toujours en vouloir plus? Notre insatisfaction? J'opterais plutôt pour l'insatiabilité. Cette soif qui nous amène à nous comparer avec ce qu'il y a de mieux. La voiture que l'on a nous satisfait, elle peut aller aux mêmes endroits que celle qui vaut le double du prix. Elle coûte souvent moins cher en essence et en entretien. Toutefois, le confort, l'apparence et le statut social que la plus dispendieuse nous confère semblent beaucoup plus alléchants.

Il en va de même pour la chaîne stéréophonique, le téléviseur, la montre, le stylo, la maison, et j'en passe. Plus le prix en est élevé, plus notre propre valeur semble augmenter.

N'allez pas conclure de mes propos que je condamne l'argent. Mes réflexions sont plutôt dirigées sur le trop grand amour de l'argent. Je constate, tout comme vous, que tout augmente et que la vie nous oblige à gagner de plus en plus d'argent.

Nous avons, depuis les dix dernières années, créé un phénomène qui semble irréversible. Notre qualité de vie est devenue prioritaire. On ne se prive plus de rien. Par contre, je vois des gens qui essaient toujours de suivre le rythme et qui commencent à être essoufflés. Regardez autour de vous. Des visages blêmes et des sourires fallacieux inondent notre société. L'appât du gain est devenu si capital que nous oublions de vivre et nous ne faisons qu'exister.

On ne peut reprendre le temps perdu. Les secondes, les minutes, les heures et les jours que nous manquons ne nous seront jamais crédités. C'est à nous de vivre pleinement notre vie. Nous devons apprécier ce qui nous entoure, particulièrement les gens. La vraie vie, ce n'est pas la richesse qu'apporte l'argent mais l'intelligence de jouir de chaque instant qui nous est donné. Chaque seconde passée ne reviendra jamais.

Plusieurs personnes sont si occupées à se plaindre qu'elles oublient de vivre le moment heureux qui leur passe entre les mains. Lorsqu'il pleut et qu'elles vont au travail, elles se plaignent que le temps est maussade. Lorsqu'il fait beau et qu'elles se rendent au travail, elles disent : «Il va falloir s'enfermer par une journée pareille.» Que désirent-elles exactement? Un ciel partiellement nuageux avec des percées de soleil? Si ces gens dépensaient la même énergie à agir positivement, vous seriez surpris de voir ce qu'ils pourraient accomplir.

Comme nous l'avons vu précédemment, le corps et l'âme sont les deux éléments sur lesquels la vie de l'être humain est basée. Le corps physique étant l'enveloppe que l'âme prend lorsqu'elle vient sur la terre, l'homme est donc plus porté à le soigner. Puisqu'il est tangible, son authenticité est plus évidente.

Pour les adeptes de l'ésotérisme, il est parfois frustrant de regarder agir l'être humain. Tous n'ont pas la même conception de la vie. Pour la majorité des gens, le corps et les éléments matériels sont les seules valeurs réelles qui existent sur la terre. Puisque l'accent est mis sur les forces concrètes, il est donc normal d'observer une telle attitude. Nous sommes ici pour vivre des expériences avec un corps physique, alors nous ne nous préoccupons pas, ou enfin beaucoup moins, de notre spiritualité. Encore faut-il croire qu'il existe une autre vie après celle passée sur la terre.

Mais si nous n'y croyons pas, pourquoi essayons-nous tant de réussir sur cette terre? Quel est l'intérêt de vivre pendant plusieurs années à travailler, se nourrir, se loger, se vêtir et aider les autres si l'aboutissement de ce voyage n'a aucune suite? Sommes-nous si masochistes ou nous fermons-nous les yeux, préférant fuir la réalité? L'inconnu fait peur à bien du monde et c'est pourquoi nous adoptons cette attitude.

L'inconnu fait si peur que, même pendant leur séjour sur la planète, plusieurs fuient déjà la vie. Ils sombrent dans l'alcool, la drogue et les médicaments. Ils poussent leur corps à la limite et abusent de ce bien précieux qu'est la santé. Le paradis n'existe pas pour eux. La mort, c'est la fin, tout comme si, au terme de la vie, on basculait dans un sommeil profond et éternel. Pour ceux-là qui n'ont pas plus de respect pour la vie, c'est vrai que le paradis n'existe pas, mais il n'en demeure pas moins que l'enfer les attend!

Dans les prochains chapitres, nous analyserons les problèmes actuels de notre société : la drogue, l'alcool, le SIDA et les autres MTS. Nous verrons que tous ces phénomènes sont reliés à des désirs physiques. Vous serez surpris de connaître les chiffres effarants du nombre de victimes de MTS. Vous constaterez que les femmes, contrairement à la croyance, n'échappent pas à ce fléau.

L'alcoolisme pour sa part fait de nombreuses victimes, tant sur le plan physique que psychologique. Combien de vies sont gâchées à cause de l'alcool! Des familles se séparent, des enfants sont battus et des gens sont tués des suites de l'abus d'alcool. Les heures perdues et payées par les employeurs relativement à l'absentéisme imputable à la consommation abusive d'alcool augmentent à chaque année.

D'un autre côté, les drogues prennent de plus en plus de place dans la vie des jeunes. Elles deviennent de plus en plus fortes, donc de plus en plus nocives. Les substances utilisées créent de plus puissantes dépendances, augmentant ainsi le taux de criminalité. En effet, lorsqu'un individu est en manque et que ses revenus ne peuvent suffire à lui payer sa drogue, il est prêt à tout pour s'en procurer. Les vols dans les dépanneurs, les assauts sur des piétons et le chantage ne sont ici que quelques-uns des moyens utilisés par les toxicomanes.

Je veux analyser tous ces comportements et regarder s'il est possible de s'en sortir. Depuis plusieurs années, je m'intéresse à la motivation. J'ai déjà donné des centaines de conférences sur les possibilités immenses de l'être humain. Je me suis adressé à des étudiants, des enseignants, des cadres d'entreprise, des associations diverses et des groupes de parents. J'ai laissé à tous ces gens un message d'espoir. J'ai donné des moyens de se sortir de ses malheurs.

Il m'est impossible de vous faire agir dans un sens, si vous n'êtes pas convaincu vous-même. Vous seul pouvez prendre la décision de changer votre vie. N'oubliez jamais que personne n'est plus intéressé à votre succès que vous-même. Tous les efforts que vous devrez faire pour arriver à ce succès ne seront motivés que par l'ardent désir de réussir.

Comme le dit si bien le proverbe : «On peut amener un animal à la source, mais on ne peut boire pour lui.» C'est ce que je désire faire dans des prochaines pages, c'est-à-dire vous donner des trucs et des méthodes faciles à appliquer afin que vous puissiez atteindre le succès. J'entends toucher tout le monde. C'est la raison pour laquelle je parlerai des problèmes de drogue et d'alcool. Tous peuvent s'en sortir. Il suffit de *vouloir* et une grande partie du problème est réglée.

Nous sommes maîtres d'une grande partie de notre vie. L'autre fragment dépend d'une foule de facteurs souvent incontrôlables. De ce fait, si nous canalisons nos énergies aux bons endroits lorsque cela nous est possible, nous pouvons assurément influencer le cours de notre vie. Si vous ne décidez pas de votre sort dans la vie, vous devez alors accepter que la vie décide de votre sort.

DEUXIÈME PARTIE

Les portes de l'enfer

Nous nous dirigeons vers une société de loisirs qui se veut de plus en plus permissive. Il n'y a rien de mal à prendre un petit verre à l'occasion, mais ce geste est devenu un loisir en soi. La consommation d'alcool est maintenant associée à presque toutes les activités que nous faisons.

Que ce soit après un match de hockey ou de baseball, pendant une partie de pêche, autour d'une piscine, nous retrouvons inévitablement la présence de l'alcool. Il n'est pas nécessaire d'être sportif pour prendre un verre. Si l'on est amateur, spectateur, supporter ou même téléspectateur, on associe encore facilement le houblon à l'activité passive.

Dès que l'on organise une fête, un départ, une réception ou que l'on assiste à un baptême, une confirmation, un mariage ou même des obsèques, les cérémonies qui suivent ont bien souvent une touche alcoolisée. C'est normal, puisque ce sont les seuls endroits où l'on peut se permettre de boire. Il serait mal vu de commencer à trinquer pendant les heures de travail et, en plus, on ne cesse de nous rappeler qu'il est strictement interdit de consommer lorsque l'on prend le volant. Soulignons enfin qu'il est quelque peu difficile de prendre un verre pendant notre sommeil. Alors, quand on peut, on boit. Mais ce que j'ai finalement remarqué, c'est qu'on peut souvent.

De ce fait, nous devenons peu à peu un *buveur social*. Puis, notre timidité fait place à notre sociabilité. L'alcool que l'on ingurgite transforme lentement notre comportement, ce qui facilite pour plusieurs les relations. On peut enfin parler à tout le monde, rire, chanter et même danser sans se poser de questions. Tout va bien et tout est beau.

Le problème, c'est qu'il faut savoir quand s'arrêter et ce n'est pas évident que l'on soit encore maître de ses gestes lorsqu'on a bu une certaine quantité d'alcool. Ainsi, on n'est plus simplement «à l'aise» avec les amis mais plutôt encombrant et insupportable. Les amis qu'on venait de se faire s'éloignent aussi rapidement qu'ils se sont approchés. L'élixir qui nous donnait une confiance inébranlable peut nous faire perdre non seulement nos inhibitions mais aussi nos amis.

Mais peut-on imaginer une rencontre entre amis sans alcool? Est-il vrai que si nous ne buvons pas nous n'aurons pas autant de plaisir? Manquons-nous à ce point d'originalité? Devons-nous être anesthésiés pour trouver les rencontres et les amis amusants? L'alcool n'est pas un ennui en soi. C'est l'utilisation qu'on en fait qui peut le devenir.

Imaginez-vous un instant : Vous avez pris deux ou trois bières chez des amis. Quelques minutes plus tard, vous quittez leur résidence au volant de votre voiture. Vous vous sentez en pleine forme pour conduire. Par contre, l'organisme assimile lentement les effets de l'alcool et vos réflexes ne répondent pas à leur maximum. Un petit enfant de quatre ans sort, en courant, derrière une voiture. Vous le voyez à la dernière seconde, vous freinez et «BANG». Vous êtes sûr que vous auriez fait la même chose si vous n'aviez pas pris deux bières. Vous êtes sûr que vos réflexes auraient été les mêmes si vous n'aviez pas bu. Le problème c'est que les policiers procéderont à un examen de votre haleine et découvriront que vous aviez bu. Bilan : un enfant est mort et vous êtes accusé d'avoir conduit en état d'ébriété. Vous savez que c'est un *crime*. C'est une peine bien plus sévère que l'emprisonnement que d'avoir sur la conscience la mort d'un jeune enfant. Cette pensée nous suit tout au cours de notre vie et revient fréquemment à notre mémoire. Pour n'avoir pris que quelques onces d'alcool, on se culpabilise toute une vie entière.

Ce qui nous motive à boire, c'est souvent les rencontres d'amis, où l'on échange de bons souvenirs, où l'on se raconte les événements heureux et malheureux de notre vie. L'association «rencontre-alcool» devient alors instinctive, pour ne pas dire naturelle.

À bord des avions, il est également de mise de servir de l'alcool aux passagers. Les gens qui aiment travailler lorsqu'ils voyagent, prennent un verre et se relaxent. Par contre, il vous est peut-être déjà arrivé d'avoir un étranger assis à vos côtés qui, en raison de la peur qu'il a de prendre l'avion, boit pour réduire son stress. Incapable de contrôler sa phobie, il décide alors de vous parler. Il vous entretient de toutes sortes de sujets, de la météo qui ne vous intéresse pas particulièrement à plusieurs milliers de kilomètres dans les airs, à la splendeur des nuages qu'il n'ose même pas regarder lui-même.

Vous, vous essayez de travailler et de vous concentrer et voilà qu'un individu vous harcèle de questions et de commentaires. Comme le voyage est encore long, il commande un autre verre et vous dit qu'il se détend lorsqu'il boit en avion. Dans votre tête vous vous dites : «Si ça te repose de prendre l'avion et de monologuer, moi, ça me dérange!» Le temps d'un verre ou deux, il a réussi à vous tranférer son stress. Pour sa part, il se trouve rassuré de pouvoir compter sur un brave qui a pleinement confiance en lui lorsqu'il est en avion. Il sent qu'il a à son côté un grand frère, un protecteur. Juste pour vous amuser la prochaine fois, si vous avez un de ces tenaces craintifs qui vous dérange, dites-lui que le hasard est curieux, puisqu'il boit exactement la même chose que le pilote et au même rythme en plus.

Comme on peut le constater, l'alcool a ses bons et ses mauvais côtés. La consommation modérée facilite les rapports puisqu'elle y est volontiers associée. Si on veut garder le contrôle de son comportement, il faut savoir quand s'arrêter. Le hic c'est qu'au moment où l'on a dépassé la limite, on ne peut plus mesurer sa consommation.

Saviez-vous que l'on compte chaque année plus de mille victimes de la route et qu'en outre il est reconnu que plus de la moitié des accidents sont reliés à la consommation d'alcool? Saviez-vous que le tiers des détenteurs de permis âgés entre 16 et 24 ans se tuent sur les routes? Les facteurs qui contribuent à ce phénomène peuvent être influencés par la consommation d'alcool.

Si on veut réussir sa vie, on doit être complètement maître de ses actes et de ses pensées. Il est prouvé que la consommation d'alcool engourdit le cerveau, ralentit le jugement et déséquilibre le comportement et la coordination des mouvements. Lorsque ces effets se manifestent, il est irréaliste de croire que l'on puisse agir en pleine possession de ses moyens. Des centaines, pour ne pas dire des milliers, de travailleurs sont alcooliques et agissent tous les jours avec un taux d'alcool très élevé dans le sang. Ils ne peuvent oeuvrer s'ils n'ont pas ce carburant dans le corps. Selon l'emploi qu'ils occupent, ils mettent leur vie et celle des autres en danger quotidiennement.

Être dépendant de l'alcool à ce point cause de nombreux torts à la société et évidemment à la famille immédiate. Combien de fois le conjoint de la personne alcoolique devra-t-il appeler l'employeur de cette dernière pour lui signaler qu'elle n'entrera pas au travail! Dans la plupart des cas, la raison invoquée ne sera pas authentique, protégeant ainsi la réputation et l'image de l'individu et de la famille.

Il n'est pas facile de vivre avec une personne affectée par cette maladie. Plusieurs centres de désintoxication ont été mis sur pied afin de venir en aide aux alcooliques et à leur famille. Il est toujours possible de se sortir d'une impasse. Par contre, dans le cas des buveurs, ils sont les seuls à pouvoir décider de leur avenir. On peut les aider à se prendre en main mais ils auront toujours le dernier mot puisque, pour réussir un tel traitement, il faut user de volonté. S'il le désire vraiment, l'alcoolique réussira à combattre sa dépendance. Il devra y mettre des efforts considérables, de la patience, de la ténacité et du caractère.

La vie est trop belle et nous offre trop de possibilités pour qu'on la gâche en s'engourdissant le cerveau. Vous pouvez croire que la vie est terne ou vous pouvez croire que la vie est extra-ordinaire, dans les deux cas, vous avez raison. Tout est une question d'attitude. La manière dont nous voyons la vie influence nos décisions, notre façon de vivre et influence également ce qu'elle nous donne en retour. La vie attend beaucoup de vous. Donnez-lui ce que vous avez de mieux et elle vous en redonnera encore plus.

Le vestibule

Si j'identifie l'alcool comme étant les portes de l'enfer, il est facile de comparer la drogue à son vestibule. Ce phénomène de plus en plus grandissant ne s'attaque plus simplement aux adultes mais aux adolescents. Je suis très conservateur lorsque j'emploie le mot adolescent puisqu'on retrouve maintenant parmi les consommateurs des jeunes qui ne sont âgés que de 10 ans.

Le problème ne se limite pas simplement aux jeunes, mais aussi à leurs parents qui ne savent plus comment agir devant ce phénomène. Les parents ont trop souvent tendance à croire que leurs interventions ne servent à rien. Eh bien! c'est faux. Saviez-vous que la cellule familiale est la première source d'influence chez les jeunes? On se dit souvent que ce que l'on dit ou fait ne donne rien, mais cela est faux. L'adolescent semble, j'ai bien dit *semble*, ne pas porter attention aux propos qu'on lui tient. Toutefois, il est très sensible aux mises en garde qu'on lui fait. C'est dans sa nature que de donner l'impression de ne pas y porter intérêt. Il est à une étape où il cherche une plus grande autonomie et une certaine indépendance.

Puisque la consommation de drogue commence à un très jeune âge, les parents ne devraient pas fuir le problème mais en parler ouvertement avec leurs enfants. La peur créée par ce phénomène est en partie due à l'ignorance qu'ont les parents des drogues utilisées comme telles ainsi que de leurs effets. Il est difficile de discuter d'un sujet où on ne peut retrouver aucun point de référence. Si l'enfant lui parlait de la cigarette, le parent pourrait discuter en connaissance de cause, même s'il n'a jamais fumé de sa

31

vie. S'il s'agissait de sexualité, encore-là , il lui serait plus facile de dialoguer et d'expliquer les avenues reliées à ce sujet.

De ce fait, le tas de choses sur la drogue qui sont véhiculées dans les journaux, à la radio et à la télévision sont parmi les seules références que les adultes ont à ce sujet. Il n'est pas surprenant de ne pas vouloir entendre parler de drogue à la maison quand on a entendu dire qu'un toxicomane a été retrouvé sans vie, les cellules du cerveau brûlées, ou qu'un autre s'est fait abattre parce qu'il avait en sa possession de la cocaïne qui faisait l'envie d'un autre gang. Toutefois, il ne faut pas se fermer les yeux, sinon le problème ne fera que s'aggraver.

La plupart des parents ne veulent pas voir la réalité à ce sujet et souhaitent tout simplement que leur enfant ne tente jamais cette expérience. La volonté est bien bonne mais elle ne vaut pas beaucoup devant les faits. Même si l'on souhaite le meilleur pour les nôtres, cela ne veut pas dire qu'ils ne tenteront pas de faire leurs propres expériences. Il est donc inutile de ne pas parler de ce sujet avec les jeunes. Plusieurs parents ont peur d'en discuter, croyant qu'ils en feront ainsi la promotion. Croyez-moi, les adolescents n'ont pas besoin de vous pour se faire rappeler que la drogue existe.

Elle est omniprésente à l'école, dans les arénas et les maisons de jeux. Les adultes n'ont pas à jouer les offensés puisqu'on en retrouve également dans les bars, dans certains bureaux et, encore pire, dans le sport professionnel. Si l'alcool peut créer, à moyen terme, une certaine dépendance, rappelez-vous qu'il y a des drogues qui créent intantanément une dépendance. On ne devrait pas jouer de la sorte avec sa vie. Combien d'artistes qui croyaient performer davantage en consommant des drogues ont vu leurs carrières ruinées, pendant que d'autres mouraient, à la suite d'une surdose.

L'enfer commence lorsqu'on ne peut plus choisir si l'on en prend ou si l'on n'en prend pas; lorsque le plaisir de s'évader pendant quelques minutes ou quelques heures fait place à la dépendance. Ce besoin devient alors une *priorité* et l'on doit rebâtir sa vie autour de ce mal. Notre existence est alors basée sur la fréquence de notre consommation et la peur d'être en insuffisance d'approvisionnement. Par ailleurs, comme il est nécessaire de payer la marchandise et que celle-ci coûte des sommes astronomiques, nos moyens deviennent vite déficients. C'est alors que le besoin de consommer devient plus grand que notre morale et qu'on est prêt à tout faire pour se procurer de l'argent.

À ce chapitre, le nombre de cambriolages, de vols dans les dépanneurs, d'assauts ainsi que les crimes reliés à la prostitution a augmenté considérablement au cours des dernières années. Plus alarmant encore, pendant que le nombre de ces crimes augmente, l'âge de ceux qui les commettent diminue. Ainsi, on peut voir des jeunes garçons et des jeunes filles âgés d'à peine 10 ans se prostituer de façon hétérosexuelle ou homosexuelle afin de pourvoir à leurs besoins. N'allez pas croire qu'il ne s'agit là que de rares exeptions. Ceux que l'on appelle les travailleurs de rue et les travailleurs sociaux pourraient vous en parler pendant des heures.

Déjà, à peine dans la préadolescence, ces enfants sont enchaînés aux affres de la drogue. Ils ne se possèdent même plus. Leurs besoins sont si intenses qu'ils vont jusqu'à offrir leurs corps pour se procurer leurs doses. Inconscients de ce que la vie pourrait leur apporter, ils brisent leur avenir et encrassent un présent qui ne mène nulle part.

Laissez-moi vous conter l'histoire d'un de mes copains qui était un véritable prodige. Depuis son jeune âge, il jouait du piano. Talentueux comme pas un, il alla par la suite entreprendre des études de jazz dans une institution reconnue aux États-Unis. Son amour pour la musique, combiné aux nombreuses heures de pratique, lui a valu une place de choix dans le monde du spectacle. Par contre, le milieu qu'il fréquentait consommait des drogues et il s'y adonnait à l'occasion. Un jour où il avait consommé de la cocaïne, il tenta de se suicider. Il rata son coup mais recommença à deux reprises. C'est à la troisième tentative, et en plus avec beaucoup de mal, qu'il réussit à s'enlever la vie.

La consommation de plus en plus forte et de plus en plus constante l'a amené à ne plus voir d'issue. Pendant qu'il se morfondait à dire que la vie ne lui donnait rien de bon, ses amis le regardaient performer en se disant que ce n'était pas juste car la vie lui avait tout donné. C'est ainsi qu'après plusieurs années d'études et seulement quelques années de carrière, il quitta notre monde alors qu'il dépassait à peine la trentaine.

Des histoires comme celle-là, je pourrais vous en raconter des centaines. Malgré les années, rien n'a changé. Il y a environ trente, quarante et même cinquante ans, des scénarios de ce genre existaient. Par contre, au lieu de parler de drogue, on parlait d'alcool. Combien de stars d'Hollywood ou de musiciens internationaux ont raté leur carrière et se sont enlevé la vie par la suite, en raison de problèmes reliés à la trop grande consommation d'alcool! Hier, c'était ça; aujourd'hui, c'est la drogue.

C'est donc dire qu'il s'agit de modes selon l'époque où l'on vit. L'alcool a occupé une très grande place dans nos relations sociales antérieures, et maintenant il fait place à une substance plus contemporaine. Si prendre un verre était associé à la détente et à la facilité de se faire des amis, il en va maintenant de même pour la drogue. L'approvisionnement est devenu chose facile et le soulagement qu'elle apporte est instantané.

Le problème, c'est que l'âge des consommateurs de drogues va toujours en diminuant. Selon des chiffres connus, près de 40 % des étudiants de 14 ans et plus ont déjà fait usage de drogue. Dans plusieurs cas, l'expérimentation de la drogue se fait avant l'entrée au niveau secondaire. Notre société est-elle trop permissive? Tout ce que je puis dire c'est que l'accessibilité à ces substances est trop facile.

De ce fait, les premières victimes sont les jeunes. Déjà, à l'adolescence, ils se questionnent sur une foule de sujets. Leur curiosité est insatiable tant au niveau sexuel que professionnel. Ils sont confrontés à des choix de cours, des choix pour leur carrière et voilà qu'ils sont devant d'autres choix. Ceux d'essayer ou non la drogue. Curieux, ils se disent que c'est juste pour une fois, juste pour essayer. Pour d'aucuns, ce ne sera qu'une expérience mais pour d'autres, ce sera le début d'un long esclavage.

L'innocence et la naïveté auront eu raison de ces jeunes qui feront désormais partie des statistiques. La vie de quelques-uns de ces jeunes changera du tout au tout. La tâche de se procurer des sommes d'argent importantes pour se payer de la marchandise remplacera vite le rêve éphémère. La dure réalité de ce monde sans pitié se fera vite sentir. Puis viendra la déchéance, le moment où l'on ne peut plus agir par soi-même, où l'on tue, on vole et on agresse sans le savoir.

Après que j'eus prononcé une conférence sur la compréhension des adolescents, une mère de famille était venue me voir et me demander s'il était dangereux pour sa fille de se tenir avec un groupe de jeunes qui consomment de la drogue. Elle me disait que sa fille n'en prenait pas mais qu'elle aimait sortir avec ces gens-là. Quand je lui ai demandé si elle était sûre que sa fille n'en avait jamais pris, elle a hésité et m'a dit que c'est ce que son adolescente lui avait dit. Dès lors, elle est devenue inquiète et m'a demandé conseil. Mais qu'est-ce que je peux faire pour l'empêcher de fréquenter ses amis?

Si l'autorité vous fait peur et que vous ne voulez pas jouer les parents durs, vous devez alors vous contenter de la confiance. Il vous faudra vous tenir très près de votre adolescent et dialoguer souvent avec lui. Quand je parle de dialogue, je veux dire parler mais surtout écouter. Plusieurs parents ne font qu'annoncer leurs couleurs face à la sexualité ou à la drogue, et ne veulent rien entendre de la version de l'enfant. Ceci n'est pas un dialogue mais une dictature. L'adolescent se sentira opprimé et réagira plutôt en contournant l'autorité.

L'adolescent qui se sent aimé et en confiance aura plus de facilité à exprimer ses désirs et ses problèmes à ses parents. Il ne faut donc pas attendre à l'adolescence pour commencer à s'intéresser à la vie de ses enfants. L'adolescent apprécie l'autorité, même s'il ne vous le dira jamais. Cette attitude lui prouve la détermination et la confiance qu'a une personne et c'est ce qu'il recherche à cette étape de sa vie. On peut être autoritaire et dialoguer avec ses enfants. Le principe est que le dernier mot doit toujours revenir aux parents, dans la mesure où leurs affirmations sont logiques et justifiables. Même si le jeune n'est pas d'accord, c'est au parent de lui faire comprendre les faits.

On ne doit pas perdre de vue que l'adolescent est très sensible aux pressions des groupes. Il embarque facilement dans n'importe quoi. S'il fréquente un groupe où l'on consomme de la drogue, il finira probablement par céder aux pressions de ses amis. Il ne voudra pas être à part et tentera d'épater ses camarades. Il voudra faire comme tout le monde et peut-être aussi comme ses parents qui eux, lorsqu'ils fêtent, prennent de la boisson. Pour le jeune, c'est du pareil au même. Ses amis le trouveront égal à eux-mêmes et l'accepteront volontiers dans le groupe.

L'expérience unique de la drogue n'est pas dommageable en soi. C'est l'intérêt que l'on y portera dans le futur qui changera notre vie. La dépendance dure plus longtemps que les heures heureuses vécues sous l'effet de la drogue. C'est à ce moment que je parle d'enfer. Celui qui éloigne nos vrais amis, nos frères et soeurs ainsi que nos parents. Nous ne sommes pas mort que déjà nous ne voyons plus personne. Nous nous sentons seul et sans ressources. Plus rien n'a aucune valeur, seule la drogue peut combler ce qui reste de notre bonheur de vivre.

Les effets sont catastrophiques et les dommages causés à notre corps sont souvent irréparables. Le besoin de consommer des drogues de plus en plus fortes pour ressentir un effet mène l'individu à employer des seringues, ce qui a contribué depuis quelques années à la transmission de maladies telles que le SIDA. Si être toxicomane c'est vivre l'enfer sur la terre, imaginez-vous ce que peut être la contraction du SIDA due à la drogue.

Comme vous pouvez le constater, les conséquences directes ou indirectes de la consommation de drogues peuvent être mortelles. Tout comme l'alcool, on croit souvent qu'il n'y a pas de danger à en prendre un peu mais on ne sait jamais où cela va nous mener. Il est normal de croire qu'on peut s'arrêter quand on le veut lorsqu'on est à jeun. Toutefois, la réalité est tout autre. Puisque le cerveau perd contact avec la réalité, il n'est plus en notre pouvoir de prendre des décisions raisonnées.

Pour ceux qui n'ont jamais touché à la drogue, vous avez peut-être vous-même vécu l'expérience avec l'alcool. Vous en prenez un verre, puis un autre et, enfin, vous perdez le contrôle. Vous vous demandez comment vous avez pu faire ça alors que vous n'êtes pas ce genre de personne. Le lendemain vous avez une migraine et vous jurez de ne plus en reprendre. Par contre, la dépendance à l'alcool prendra plus de temps à s'installer chez l'individu que celle à la drogue.

La drogue : son aspect, ses conséquences. Le vestibule est grand

Dans ce chapitre, je veux vous parler des différentes drogues qui existent sur le marché et des conséquences néfastes qu'elles ont sur l'être humain. Comme je compare l'alcool aux portes de l'enfer et la drogue à son vestibule, laissez-moi vous dire que celui-ci est excessivement grand. On retrouve près d'une vingtaine de matières différentes pouvant être utilisées comme drogues. De ce nombre, la moitié est disponible dans des pharmacies, tabagies ou quincailleries, tandis que l'autre moitié se retrouve sur le marché noir. Premièrement, nous analyserons les drogues que l'on se procure au marché noir.

LES CHAMPIGNONS HALLUCINOGÈNES : Qui aurait pu croire qu'un champignon peut nous faire voyager dans le temps? Ce champignon, une fois séché, peut être mangé et a l'attribut de fausser la perception du temps. Sous l'effet du champignon, les objets nous paraissent plus proches ou plus éloignés, selon le cas. Le simple fait de lacer un soulier peut alors sembler une tâche presque irréalisable. Pour d'aucuns, la peur s'installe et ils ne veulent plus bouger. Une fille qui avait déjà consommé des champignons a cru pendant un long moment qu'elle était sur le point de mourir. Son souffle diminuait graduellement, elle étouffait et faisait des crises protestant qu'elle ne voulait pas mourir. Si cette sensation ne ressemble pas à l'enfer, ce n'en est pas loin.

LA COCAÏNE : Cette fameuse poudre blanche qui est généralement reniflée mène à l'excitation. Elle confère à celui qui en prend une assurance et beaucoup d'énergie mais de très courte durée puisque son effet ne dure qu'environ deux heures. Le consommateur de cocaïne perdra l'appétit et aura parfois des saignements de nez. Le prix élevé de cette substance force le revendeur à mélanger la cocaïne avec d'autres produits parfois chimiques.

Alors que je m'entretenais avec une infirmière dans une école polyvalente où j'avais prononcé une conférence, elle me contait qu'un étudiant était entré à son bureau avec un saignement de nez abondant comme elle n'en avait jamais vu. Le jeune en question avait reniflé de la cocaïne qui avait été combinée à de la vitre concassée. Le consommateur de ce genre de produit ne sait jamais ce qui l'attend. Comme aucun contrôle n'est apporté à la vente de cette marchandise, l'adepte peut se retrouver avec de très sérieux problèmes.

LE CRACK : Aussi connu sous le nom de «rocks», le crack a une particularité déroutante. La dépendance à ce produit se développe très rapidement. Selon les connaisseurs, bien des fumeurs de crack en seraient devenus dépendants dès leur première expérience. La sensation que ces consommateurs retrouvent dans cette drogue est si forte que le retour à la vie normale est catastrophique. Avec le crack, les hauts sont hauts mais les bas sont très bas.

Le coût de cette substance peut varier entre 20 $ et 25 $ dollars du «high». Ce qu'il faut retenir c'est qu'un «high» a un effet qui ne dure qu'une quinzaine de minutes. Lorsqu'on sait que la dépendance est quasi instantanée, on doit donc conclure qu'il en coûte environ 100 $ de l'heure pour pouvoir survivre avec cette drogue. Comme la consommation du crack ne se limite pas seulement à de courtes périodes, l'usager doit posséder de bonnes sommes d'argent pour s'en procurer. C'est ainsi qu'il se met à cambrioler et même à tuer pour pouvoir s'approvisionner. Cet être humain, qui était comme vous et moi, se transforme en une véritable bête. Il ne domine plus ses pensées, ses gestes et ses besoins.

LE HASCHICH : Cette drogue se retrouve sous l'aspect d'un petit cube brun ou vert. Elle est généralement mélangée à du tabac afin d'être fumée. Le haschich donne une impression de détente à son utilisateur. Il porte à rire ou à pleurer, selon l'humeur.

Un peu comme le font les champignons magiques, il transforme la valeur du temps et des distances.

Les grands consommateurs de hasch endommagent leur gorge et leurs poumons en plus de contracter à l'occasion des infections respiratoires. Les pertes de mémoire se font de plus en plus fréquentes et la concentration diminue. Encore une fois, le mélange du haschich avec d'autres substances peut causer de lourds dommages au corps humain.

C'est bien souvent avec cette drogue que les jeunes sont initiés au monde des narcotiques. La facilité qu'il y a de s'en procurer et le coût abordable de la marchandise contribuent grandement à son expérimentation. Le danger que comporte cette drogue, c'est qu'une dépendance peut facilement se créer si le consommateur l'utilise fréquemment.

L'HÉROÏNE : Le bien-être que procure cette poudre blanche couvre généralement une période pouvant aller jusqu'à six heures. Son consommateur peut l'aspirer ou se l'injecter. Avec l'ère du SIDA, un grand nombre d'héroïnomanes ont contracté le virus en se piquant avec des seringues provenant d'autres drogués. Les adolescents sont rarement des consommateurs d'héroïne puisque son prix est très élevé; on parle d'environ 250 $ le gramme.

Cette drogue entraîne plusieurs complications physiques chez l'usager. En raison de sa concentration, elle crée des nausées et des vomissements. Les dépendances psychologiques et physiques sont très fortes. L'héroïnomane plonge souvent en état de crise lorsqu'il n'a plus de cette drogue.

LE LSD : Cette drogue hallucinogène est une lame à double tranchant puisqu'elle peut vous faire passer de très bons comme de très mauvais moments. On ne contrôle pas les hallucinations que l'on a avec cette substance. Les consommateurs peuvent avoir des retours d'hallucination même après une période d'abstinence.

LA MARIJUANA : Mieux connue sous le nom de «pot» elle se consomme soit en cigarette communément appelée «joint», soit avec une pipe. C'est généralement la première drogue à être consommée par les jeunes en raison de son coût. Le prix d'un joint pouvant varier de un à trois dollars, les jeunes peuvent ainsi en faire facilement l'expérience.

Si le coût est si peu élevé c'est, qu'encore une fois, le produit est mélangé à différents herbages tels que le thé. Les revendeurs passent souvent de la camelote au lieu d'un produit de bonne qualité. De ce fait, les jeunes s'initient lentement à des drogues plus nocives. Il est à noter que la marijuana ne provoque pas de dépendance physique, c'est-à-dire qu'il ne se crée pas d'habitude ou de besoin de la part de l'organisme.

LA MESCALINE ET LE PCP : Ces deux autres drogues ont sensiblement les mêmes propriétés que le LSD. Toutefois, la présence de véritable mescaline est plutôt rare. Parlons maintenant des autres produits dont on se sert comme drogue, ceux que l'on retrouve à la pharmacie, à la tabagie, au dépanneur et même à la quincaillerie.

LES PILULES : Il y a deux catégories de pilules : les «speeds» et les tranquillisants. Commençons par les «speeds».

LES «SPEEDS» : Nous nous retrouvons avec un grave problème puisque ces drogues sont offertes légalement sur le marché. L'utilisation que l'on en fait trace alors la ligne entre le bienfait et la drogue. Puisqu'ils sont offerts à très bas prix et sont relativement faciles à se procurer, les «speeds» semblent inoffensifs. Toutefois, il faut noter qu'à la longue ils créent une certaine dépendance.

Ces pilules donnent de l'énergie et entraînent une perte d'appétit. Des troubles de sommeil sont également reliés à la prise de cette drogue. Les parents sont souvent à la source de la consommation des «speeds» par leurs enfants puisqu'ils utilisent eux-mêmes et avec abondance le produit. Si c'est bon pour mes parents, ça doit être bon pour moi aussi! Et on se surprend de voir nos adolescents consommer de la drogue.

LES TRANQUILLISANTS : Les effets des tranquillisants sont tout à fait à l'opposé de ceux procurés par les «speeds». Ils diminuent l'intérêt, calment l'utilisateur et le portent même à dormir. Tous les jours, nous sommes face à des gens qui consomment de ces produits. Je ne vous parle pas ici de jeunes adolescents mais plutôt d'adultes d'un certain âge qui utilisent à tort cette médication. Ils ont les yeux troublés et un langage nonchalant. Leur apathie et leur indolence se répercutent sur leur travail. Vous leur parlez et ils ne réagissent même pas. Ils ont peine à comprendre le sens exact de vos phrases. Si la société continue à avaler de ces médicaments, on entrera plus vite que prévu dans ce monde obscure et sibyllin qu'est l'enfer.

Les autres drogues à être vendues délibérément sont les décapants, les vernis, l'essence, les aérosols et la colle. Même si elles font moins peur à première vue, ces substances sont hautement toxiques. Les dommages causés par leur consommation sont irréparables. Ce n'est pas parce qu'un produit est vendu dans une quincaillerie qu'il ne peut pas être aussi nocif que les autres formes de drogue. Si on en analyse les effets, ils ressemblent beaucoup à ceux de l'alcool. L'absorption de ces substances cause des vertiges et parfois des nausées.

Ce moyen de se droguer est beaucoup moins à la mode aujourd'hui qu'il y a quinze ou vingt ans. Il va sans dire que la facilité qu'il y avait à se procurer de la drogue en ce temps-là était beaucoup moindre. De ce fait, le «reniflage» de colle ou d'autres substances était plus accessible. Même si le temps était à l'éclatement dans tous les sens du mot, bien des gens avaient peur de se procurer de la «mari» ou du «pot» et préféraient expérimenter les effets de la drogue sous cette forme. Personne ne pouvait le savoir et même nous juger parce qu'on achetait un tube de colle ou du vernis!

Par contre, les dommages causés par la consommation régulière étaient présents. Ils se situaient au niveau des reins, du foie, de la gorge et, bien entendu, des yeux. Des troubles de concentration étaient également signalés et une dépendance physique et psychologique s'installait. La consommation répétée de ces drogues était nécessaire puisque l'effet ne se faisait sentir que pour une très courte durée. Par ailleurs, plus on en prenait, plus on devait en prendre pour se sentir bien et se stimuler pour se donner du courage afin de surmonter ses problèmes.

Que l'on parle de ces drogues «de quincailleries» ou de celles disponibles sur le marché noir, elles ont toutes les mêmes effets sur le comportement de l'être humain. Elles endommagent notre corps en plus de nous faire décrocher de la réalité. Alors que je fréquentais une école polyvalente, j'ai assisté à ce que l'on appelle un *bad trip*. Un de nos confrères de classe avait consommé une drogue dont je ne saurais vous dire le nom et avait eu une très mauvaise réaction à celle-ci. Lorsqu'on est témoin d'une scène pareille à cet âge-là, ça nous fait y penser deux fois avant d'accepter l'idée de consommer.

Il avait les yeux hagards et était étendu par terre. Il se roulait dans tous les sens et criait comme si quelqu'un l'avait battu à coups de pied. Lorsque les ambulanciers sont venus le chercher, il se débattait comme un condamné se débat lorsqu'il est amené à la guillotine. Il pleurait, hurlait et gémissait pendant que nous, les étudiants, restions immobiles et figés par cette horrible scène. Même le personnel était paralysé, ne soupçonnant pas qu'un tel incident pouvait se produire ici. Ça n'arrive qu'aux autres ou ailleurs mais jamais chez nous!

Le beau voyage que devait faire notre ami sous l'effet de la drogue s'est donc transformé en cauchemar. On n'a jamais revu cet étudiant à l'école et une foule de rumeurs ont circulé à son sujet. On s'est tous inventé un petit scénario mais le vrai dénouement, aucun de nous ne l'a connu!

Sortir du vestibule

Tout comme les alcooliques, les consommateurs de drogues peuvent aussi s'en sortir. Il faudra alors beaucoup de volonté et de la ténacité. Encore une fois, personne ne peut aider un toxicomane qui ne veut pas lui-même s'en sortir. La seule force sur laquelle l'individu pourra compter, c'est la sienne. Il devra s'appuyer sur sa foi. Il devra croire, plus que jamais, qu'il existe quelque chose de meilleur après cette dure étape.

Mais avant de trouver la motivation qui peut aider à en sortir, concentrons-nous plutôt sur la prévention. En lisant ces lignes, plusieurs d'entre vous ont peut-être peur que leurs enfants prennent un jour de la drogue. Est-il possible d'intervenir auprès d'eux afin qu'ils n'en fassent pas l'expérience? Je vous dirais qu'il est possible, jusqu'à un certain point, de prévenir l'utilisation abusive de la drogue.

La détermination des parents et la force qu'ils démontrent en passant au travers des épreuves de la vie sont un bon exemple pour l'enfant qui grandit. À l'adolescence, il semble ne plus vous écouter mais intérieurement il mesure votre capacité de gérer une situation. Il a encore besoin de votre aide pour surmonter de nombreux problèmes. Vous ne devez pas attendre à l'adolescence pour communiquer avec lui. Si vous attendez que les problèmes surviennent pour en discuter, vous passerez à côté de ce qu'on appelle la prévention. En dialoguant régulièrement avec lui, vous pourrez ainsi lui inculquer des valeurs précieuses et nobles. C'est à vous de lui montrer à dire non. L'adolescent doit se sentir capable de refuser les tentations que lui présentent ses amis, tant sur le plan sexuel que sur celui des narcotiques.

S'il a une bonne confiance en lui et surtout s'il sait pourquoi il refuse, il ne se sentira pas abaissé par son gang. Pour cela, vous devez lui permettre d'atteindre une certaine autonomie en lui faisant confiance. Il doit gérer lui-même l'achat de ses vêtements, de ses articles de sport et de tout le reste. De ce fait, il apprendra à prendre des décisions, même si parfois elles ne correspondent pas aux vôtres. Discutez avec lui de ses choix et ce qui les motive, vous aurez alors une plus grande facilité à comprendre son raisonnement. De nombreux parents délaissent leurs enfants lorsqu'ils deviennent adolescents croyant qu'ils peuvent maintenant se débrouiller seuls. Quelques années plus tard, ils ne peuvent plus communiquer avec eux puisqu'ils ne comprennent plus leur manière de penser.

Vous devez demander l'opinion de votre adolescent lorsque vous avez des décisions importantes à prendre. Cela ne veut pas dire que vous adopterez officiellement son point de vue mais vous aurez au moins une bonne idée de ce qu'il en pense. Il sentira qu'il participe à la vie familiale et ne verra pas d'intérêt à se valoriser outre mesure avec son groupe d'amis. Contrairement à ce que les parents croient, l'adolescent a besoin de passer plus de temps avec sa famille et non pas moins de temps, pendant cette période de transition. N'oubliez pas qu'il fait face à de nombreux questionnements sur le plan physique et psychologique.

Les parents doivent donc le guider dans son cheminement et être près de lui. Si vous profitez de cette période de croissance pour prendre du recul, l'adolescent ne s'ouvrira pas facilement à vous. Il ne vous verra plus comme un parent mais plutôt comme un autre adulte. À cet âge, il n'est pas facile d'aller se confier à quelqu'un. C'est pourquoi vous devez démontrer une grande disponibilité envers lui. Il est préférable de lui répondre correctement plutôt que de le laisser apprendre d'une manière inexacte avec ses copains. J'ai remarqué, chez plusieurs parents, qu'ils élèvent leurs enfants et s'occupent d'eux avec beaucoup de soin lorsqu'ils sont en bas âge. Toutefois, dès que l'adolescence se présente ils se défilent comme s'il s'agissait là d'une maladie. Une peur s'empare soudainement d'eux.

Par contre, si vous encouragez votre adolescent dans ce qu'il entreprend et savez lui dire les bons mots au bon moment, il acquerra une confiance en lui. L'intérêt que vous lui porterez le forcera à vous démontrer ses capacités et, ainsi, il fera tout ce qu'il peut pour ne pas perdre votre confiance. Ses choix seront raisonnés et iront dans le même sens que ce que vous lui aurez enseigné. Comme je le dis souvent lors de mes conférences, vous devez prêcher par l'exemple. Il est difficile de demander à son enfant d'être sportif et de ne pas prendre d'alcool ou de drogue si on est soi-même passif et que l'on consomme abusivement.

Tout comme lorsqu'il était jeune, l'adolescent apprend par imitation. L'exemple qu'il reçoit à la maison est critique. Votre attitude et vos raisonnements feront partie du bagage qu'il recevra de vous et qu'il transportera tout au long de sa vie. Il est évident qu'il aura sa propre personnalité mais sa conduite sera le plus bel héritage que vous lui aurez laissé. Il sera alors capable de voler de ses propres ailes et pourra ainsi se réaliser pleinement. Son jugement sera clair et il saura prendre rapidement des décisions. L'éducation d'un enfant ne doit pas se faire à l'école mais plutôt à la maison avec ceux qui l'ont mis au monde.

Vous ne devez donc pas avoir peur de lui parler au sujet de la consommation d'alcool ou de drogue. C'est votre devoir de lui enseigner la modération en ce qui concerne l'alcool. J'ai entendu des parents faire peur à leurs enfants lorsqu'ils discutaient de ces sujets. Si vous voulez mon avis, ils adoptent une bien mauvaise attitude. Les jeunes ne sont pas dupes. Si vous leur faites peur, ils ne vous croiront tout simplement pas. Pire que ça, ils tenteront de voir si ce que vous leur avez dit est vrai et en feront l'expérience.

Pour qu'ils puissent faire des choix clairs sur la drogue ou la consommation d'alcool, vous devez leur en parler d'une manière objective. Vous pouvez leur faire part de vos appréhensions face à ce phénomène mais n'essayez jamais de glisser des petites phrases impérieuses. Faites-lui comprendre votre position, vos craintes face à un avenir qui pourrait être terni par une erreur. Prouvez-lui que les valeurs que vous véhiculez sont vouées à la réussite.

Si nous voulons prévenir la consommation de drogue, nous devons avoir une excellente communication avec nos enfants. Ils doivent être en confiance et avoir de nous une bonne image. Parfois, des discussions plutôt vives s'engageront sur toutes sortes de sujets. Il faut prendre le temps d'écouter le point de vue de l'adolescent et lui expliquer clairement le nôtre. Je dis souvent à la blague lors de mes conférences que l'adolescence est une période plus dure à passer pour les parents que pour l'enfant. À voir les réactions et les sourires à ce moment-là, je ne crois pas me tromper.

À cette période de leur vie, les jeunes tentent de se séparer de la famille et de gagner une certaine autonomie. Ils contredisent tout le système et les valeurs sociales. Ils réalisent qu'ils peuvent s'exprimer avec un vocabulaire plus grand que celui qu'ils possédaient il y a quelques années à peine. Leurs idées se tiennent davantage et leur logique est assez juste. Ils prennent ainsi conscience de leurs forces. Ils s'aperçoivent que leurs opinions ont une valeur et passent ainsi de la soumission à l'indépendance. Ils prennent donc conscience qu'ils ne sont plus des pions sur l'échiquier de la vie et qu'ils peuvent être des maîtres d'oeuvre. C'est aux parents de faire en sorte que l'avenir de leurs enfants ne soit pas voué à l'échec. Guidez-les de votre mieux et évitez-leur ainsi la descente aux enfers.

Malgré tous vos efforts, il se peut que votre enfant expérimente la drogue. Dans ce cas, ne jouez pas à l'autruche et parlez-en avec lui. Surtout, ne le condamnez pas sinon il pourrait réagir négativement à vos propos. Les symptômes reliés à la consommation de ces substances sont généralement les mêmes. Des rougeurs apparaissent aux yeux et son regard devient hagard. D'autres facteurs reliés au comportement s'y rattachent habituellement tels que l'irritabilité. Ses points d'intérêt changent brusquement. Par exemple, il peut alors préférer une tout autre sorte de musique ou changer brusquement de groupe d'amis.

Par voie de conséquence, il fréquentera d'autres lieux avec ses amis, c'est-à-dire des endroits où l'on peut se procurer des drogues. Il rentrera à des heures tardives et délaissera ses études. De ce fait, ses résultats scolaires chuteront et son intérêt pour l'école diminuera. Dans plusieurs cas, l'allure générale de l'adolescent changera brusquement.

Si, par une soirée paisible, votre adolescent arrive à la maison et vous le soupçonnez d'être drogué, n'allez surtout pas faire de crise, ce n'est pas le moment. Laissez plutôt passer l'effet et attendez au lendemain pour en discuter. De toute façon, il ne serait pas apte à entreprendre une conversation sensée étant donné son état. Avant de crier ou de réprouver le geste qu'il a fait, rappelez-vous toujours ceci : ce n'est pas parce qu'un individu expérimente la drogue une fois qu'il est pour autant un *drogué*. Il peut avoir eu l'intention d'en connaître l'effet. La curiosité est, dans ce cas, le seul facteur à retenir. Cela ne veut pas dire qu'il a de graves problèmes personnels ou familiaux. Son geste, à ce moment-là, n'est pas un appel au secours. Ne croyez pas que parce qu'il a fumé un joint il est devenu dépendant et par conséquent un drogué.

Le lendemain, trouvez un moment propice afin d'avoir une bonne discussion avec lui. Demandez-lui honnêtement ce qui l'a poussé à faire un tel geste. Demandez-lui ce qu'il a ressenti et si l'expérience en valait la peine. Par contre, ne vous gênez pas pour lui montrer votre déception face ce qu'il a fait. Mentionnez bien que ce n'est pas contre lui que vous en avez mais bien contre le *comportement* qu'il a eu. Soulignez-lui que vous avez encore confiance en lui et qu'un incident isolé n'est pas nécessairement garant de son comportement futur. Il est important de lui rappeler que vous l'aimez et que, s'il a besoin de vous, vous serez toujours là pour l'aider.

Ne croyez pas qu'une telle attitude le soulagera et lui fera croire qu'il peut répéter l'expérience sans que cela ne vous affecte. Au contraire, il trouvera en vous des parents compréhensifs qui savent discerner l'habitude et l'erreur. On est trop souvent porté à croire qu'il faut punir et réprimander pour obtenir des résultats d'un adolescent. Au contraire, ils sont à l'âge où ils peuvent mesurer la portée de leurs gestes et évaluer les conséquences. Si vous avez toujours bien fait votre travail de parent, ne vous inquiétez pas, ils ne répéteront sûrement pas l'expérience. Toutefois, si votre amour pour eux a toujours été déficient, il ne sera pas surprenant de les voir combler leurs besoins artificiellement.

L'adolescence est une période où les expériences sont aussi nombreuses que les déceptions. On explore une foule de choses, tout comme à l'époque de l'enfance, mais cette fois-ci on se rapproche du monde adulte. De ce fait, la vie ne s'explore plus à travers le jeu. On ne peut plus commettre d'erreurs comme lorsqu'on échappe une pelletée de terre de son camion jouet. Si on fait le même geste à son travail, c'est fini. L'enfance a fait place à la maturité et le monde n'est plus à nos pieds. Au contraire, nous nous rendons compte que c'est nous qui sommes aux pieds du monde. Il ne suffit plus de crier ou de pleurer pour faire avancer les choses. On doit travailler fort, lutter et se tailler une place dans le monde.

Cette réalité fait également peur à bien des jeunes qui se trouvent sur une pente dangereuse qu'ils ne pourront jamais remonter. L'avenir que leur présentent les journaux, la radio et la télévision n'est évidemment pas très rassurant. Les emplois se font de plus en plus rares, l'économie semble toujours vouloir s'effondrer et la violence, les séparations et les divorces augmentent sans cesse.

Devant la situation, plusieurs jeunes ne peuvent supporter le stress et sombrent alors dans l'alcool ou la drogue. Peur eux, la seule façon de passer au travers c'est de fuir la réalité. Dès qu'un problème survient, le premier geste qu'ils font c'est de prendre une bière ou de consommer de la drogue. C'est ainsi qu'ils trouveront le réconfort dont ils ont tant besoin. Leur attitude ne supporte pas la contrariété et ils n'ont pas appris à lutter pour vaincre les déceptions. Trop faibles ou *trop seuls*, ils séjourneront pitoyablement dans le vestibule de l'enfer pendant des semaines, des mois et même des années.

Peut-on véritablement s'en sortir ou a-t-on une destinée si triste? D'aucuns diront qu'ils ne sont pas destinés à réussir et que la vie est ainsi tracée. À ce moment, nous pouvons tous rester chez nous et attendre après le destin, de toute façon, notre sort est décidé! Je ne crois pas à cette philosophie. Je suis de ceux qui croient que le travail rapporte et que la détermination a préséance sur le prétendu destin. L'attitude compte pour beaucoup dans notre réussite personnelle. Croire que l'on ne peut pas ou croire que l'on peut, dans les deux cas on a raison puisqu'on agira en fonction de ses convictions.

Si l'attitude est importante pour atteindre le succès et se sortir d'une situation, nos fréquentations le sont autant. Le milieu dans lequel nous vivons nous influence quotidiennement. Dis-moi qui tu fréquentes et je te dirai qui tu es. Lorsqu'on analyse sérieusement ce proverbe, on réalise jusqu'à quel point il dit vrai. Notre entourage est comparable à la qualité d'un sol pour faire pousser un arbre. Si le sol contient des éléments essentiels, l'arbre connaîtra une croissance rapide et portera des fruits d'une grande qualité. Dans le même sens, si notre entourage contient des personnes essentielles à la réalisation de nos projets, nous connaîtrons, tout comme l'arbre, une croissance rapide et le fruit de nos réalisations sera d'une qualité supérieure.

Si vous voulez réussir, il faut vous tenir avec des gens qui réussissent. Le milieu que vous fréquentez est déterminant en ce qui concerne votre avenir. Pour vous citer un exemple, un ami qui travaille maintenant à la télévision a passé des mois et des mois à côtoyer des gens de ce milieu afin d'être connu, pour ne pas dire reconnu, auprès d'eux. Pour lui, l'important c'était d'être dans le circuit. Si on veut être dans le circuit, on doit se tenir avec les gens qui le forment. Après plusieurs années d'efforts, cet ami a été récompensé pour sa ténacité et il travaille maintenant avec eux.

Dans le même ordre d'idées, ceux qui ont des problèmes de drogue ou d'alcool font souvent partie d'un cercle de gens qui s'adonnent aux mêmes activités qu'eux. Pour ces personnes, la consommation de drogue devient une chose normale pour ne pas dire une simple habitude. Au contact de ces gens, on adopte lentement leur idéologie, on imite leur comportement et il devient soudainement nôtre. Si, pour réussir, il faut se tenir avec des gens qui réussissent, pour tomber dans l'abus, le secret est le même.

Pour mener une vie saine et passionnante, nous devons donc être sélectifs dans le choix de nos relations. Je ne suis pas en train de vous dire de ne pas regarder le plus pauvre ou de ne pas parler au moins bien nanti. Bien au contraire, s'il y a des gens que nous devons aider et qui peuvent nous aider à mieux nous élever, c'est bien ces personnes qui sont très près des valeurs réelles. Lorsque je parle de sélection, je veux dire qu'il faut s'entourer de gens clés, en fonction des buts que l'on veut atteindre. Demeurer dans un milieu de drogués et croire pouvoir s'en sortir est tout à fait utopique.

L'entourage influence tellement notre vie que Ford, bien connu pour sa détermination dans le monde de l'automobile, avouait qu'il n'était pas l'homme le plus talentueux mais qu'il savait s'entourer de personnes compétentes dans des domaines où il se sentait moins à l'aise. Ford savait très bien qu'il n'aurait jamais réussi s'il ne s'était pas entouré de gens compétents. Vous devez en faire autant si vous désirez réaliser des changements dans votre vie. Ne croyez surtout pas y arriver seul.

Si vous savez vous entourer de personnes fiables qui ont les mêmes objectifs que vous, vous en retirerez de grands bénéfices. Travailler avec des gens dynamiques comporte de nombreux avantages puisque, lors de moments creux, on ne se sent pas seul à lutter. Cela implique qu'il faut faire confiance aux autres. Nous avons tous le potentiel pour réussir notre vie, c'est à nous de l'exploiter au maximum afin d'en retirer les plus grands bienfaits.

La vie nous offre une multitude de possibilités et nous devons faire des choix quotidiennement. Je compare la vie à un immense pommier. Nous avons tous droit à des pommes mais notre attitude justifie la qualité de celles-ci. Une minorité de gens font l'effort d'y monter afin de cueillir les plus belles pommes. D'autres sautent, à l'occasion, pour attraper les pommes qui se trouvent sur les branches inférieures, peu importe qu'elles soient grosses, petites, vertes ou mûres. Enfin, une grande majorité d'individus attend que les pommes tombent d'elles-mêmes, secouées par les plus vaillants qui se servent. La qualité de ces pommes demeure alors inconnue et chacune d'elles est une surprise en soi.

Il en est de même pour les événements qui nous arrivent quotidiennement. Si nous ne planifions rien, la qualité des récompenses qui tomberont vers nous demeurera toujours inconnue. Nous ne ferons alors aucun choix mais, bien au contraire, nous laisserons plutôt la vie et les gens qui nous entourent choisir pour nous. Celui ou celle qui se laisse ainsi mener ne peut pas dire qu'il a réussi sa vie. C'est plutôt la vie qui lui réussit bien; encore là il faut qu'il soit heureux! Prendre des décisions et sentir que nous évoluons dans ce monde est la chose la plus extraordinaire qui puisse nous arriver. Ce sentiment de liberté et d'indépendance nous démontre la chance que nous avons de vivre ici.

Pourquoi gâcher sa vie et se précipiter dans la drogue ou dans la consommation abusive d'alcool? Il est regrettable de voir autant de jeunes s'adonner à ces activités, eux qui ont tant de talents et de potentiel. Pour certains, ce sera une simple expérience passagère; malheureusement pour d'autres, la tentative tournera au cauchemar. La dépendance se développera rapidement sans donner de chance au coureur. Dans sa tête, le plaisir de consommer aura pris une tout autre allure. Il aura fait place à l'obligation et à la nécessité, menottant ainsi tout le pouvoir et le vouloir de sa victime.

À cette étape, les parents ou amis se doivent d'intervenir car c'est un appel au secours qui est lancé. La personne qui réalise sa descente aux enfers lance un dernier cri. Ce cri de désespoir doit être entendu et reconnu par ses proches, sinon c'est la fin. Ce qui pousse une personne à consommer régulièrement, c'est souvent un manque d'amour véritable. Ce manque d'amour est alors comblé par la fréquentation d'amis de toutes sortes. Comme ceux qui font partie des réseaux de drogues recherchent toujours de nouveaux clients, il n'est pas rare de voir le revendeur se lier d'amitié avec le futur consommateur afin de l'entraîner plus facilement. Cette amitié est purement égocentrique puisqu'une fois la victime prise au piège, ce sera le tour d'une autre.

Puisqu'on aime tous se sentir valorisé, lorsqu'on manque d'amour véritable il est normal de se tourner vers ceux qui semblent nous aimer le plus. En plus d'être une trappe pour ceux qui vendent de la drogue, c'est aussi l'atout de ceux qui recrutent des adeptes pour des sectes. Ainsi, plusieurs jeunes adhèrent à ces regroupements qui leur font miroiter une foule de bienfaits. La naïveté des adolescents et leur besoin d'amour font d'eux des cibles parfaites et faciles.

Les jeunes sont donc plus influençables et ont besoin d'être protégés davantage. S'ils ne font pas de tentative de consommer de la drogue, ils n'auront pas à affronter la tâche de s'en sortir. Suivre une thérapie ce n'est pas chose facile. Il faut avoir une volonté de fer, surtout qu'au moment où l'on décide d'y prendre part, on est souvent sous l'effet des drogues ou de l'alcool et qu'on ne possède pas toute sa tête. Ceux qui désirent s'en sortir ont un courage et une foi remarquables.

C'est alors une nouvelle vie qui commence, c'est un combat qu'on devra mener jusqu'à la fin. Le support de ses frères, soeurs, parents et amis deviendra crucial. Tous devront aider l'individu dans sa démarche et l'appuyer dans son choix. La présence et la démonstration de l'amour véritable seront d'une importance capitale dans sa réhabilitation. Même si les premières années sont considérées comme critiques pour un ex-drogué ou un ex-alcoolique, tout le reste de la vie sera fragile. Chez ces gens, le combat n'est jamais terminé et chaque jour, on recommence.

Afin d'aider les toxicomanes et les alcooliques qui veulent s'en sortir, il existe des maisons spécialisées dans le domaine. Ces organismes à but non lucratif tentent également de réadapter les personnes aux prises avec des problèmes de surconsommation de médicaments. La plupart de ces centres offrent leurs services gratuitement. De plus, des femmes et des hommes y travaillent bénévolement afin d'en assurer la survie.

Dans ces maisons, on apprend à développer la confiance en soi, l'entraide et l'amitié véritable. Des médecins et des infirmières suivent l'évolution de la désintoxication. Si un drogué ou un alcoolique veut vraiment s'en sortir, n'hésitez pas à le référer à un de ces centres. L'hébergement et la thérapie sont régulièrement offerts gratuitement aux jeunes qui ne peuvent se payer de tels services.

Je vous rappelle qu'il est très difficile de se réhabiliter lorsqu'on a bu ou pris de la drogue. Ceux qui sont passés par là vous le diront : ne touchez pas à ça! On doit payer très cher de sa vie pour se sentir bien à nouveau. Les efforts pour retrouver sa liberté sont nombreux et quotidiens. Ça ne serait pas si douloureux de s'en sortir si on n'avait pas succombé à cette tentation qui nous a amenés en enfer, me disent les ex-drogués.

Profitez de la vie avec tous vos sens. Ne vous engourdissez pas le cerveau pour apprécier davantage le monde. C'est merveilleux de posséder la santé, alors pourquoi vouloir la briser. Nous ne sommes pas assez conscients des richesses que nous possédons puisqu'elles sont nôtres depuis notre naissance. Ceux qui ont des accidents et demeurent handicapés savent de quoi je parle. Ils apprécient davantage la vie et ce qui les entoure. Ils veulent vivre pleinement et ne pas perdre une seconde. Nous, avec nos complaintes, nous ne voyons plus le soleil, nous voyons les nuages.

Les MTS ou l'enfer physique

Il n'y a pas que l'alcool et les drogues qui peuvent nous faire connaître l'enfer. Les maladies transmissibles sexuellement ont des conséquences beaucoup plus sérieuses qu'on peut l'imaginer. Les chiffres reliés à ce phénomène sont faramineux. Pour n'en donner que quelques-uns, citons que 75 % des victimes de MTS ont moins de 30 ans. On a raison de s'inquiéter lorsqu'on analyse ces chiffres, d'autant plus que 60 % des jeunes d'aujourd'hui qui sont âgés de moins de 18 ans sont actifs sexuellement.

Saviez-vous que, dans la province de Québec, on traite environ 40 000 cas de gonorrhée annuellement et que l'on prévoit qu'une femme sur cinq sera stérile en l'an 2000? Si ces chiffres ne vous affolent pas, ils sont pour le moins bouleversants. Déjà, le taux d'infertilité est impressionnant et la science tente par tous les moyens de remédier à ce problème. La gonorrhée par exemple peut causer la stérilité et on continue à avoir des rapports sexuels sans se protéger.

La venue du SIDA a considérablement réveillé la population, mais pas encore assez pour qu'on prenne des précautions. «Ça ne m'arrivera jamais, la fille avec qui je couche se lave toujours avant et elle est très propre...» Voilà le genre de commentaires qu'on peut entendre lorsqu'on parle du SIDA. Les gens sont sensibilisés au phénomène mais ne se sentent pas concernés.

Ça n'arrive qu'aux autres, comme on le dit si bien. Mais si l'autre c'était nous? Ceux qui ont une vie sexuelle active, avec différents partenaires, doivent réaliser l'impact de leurs gestes. Contracter une maladie et la transmettre au prochain partenaire n'est pas la plus belle preuve d'amour qu'on puisse lui donner. Nous survolerons, dans les prochaines pages, les différentes maladies transmissibles sexuellement et leurs conséquences.

Même si les temps ont changé, les jeunes, pour leur part, ont toujours les mêmes interrogations. Ils sont audacieux et sont poussés à expérimenter. C'est ainsi que, en plus de la drogue ou de l'alcool, ils feront des expériences au point de vue sexuel. Dans leur tête, les conséquences n'existent pas; par contre, les MTS sont bel et bien présentes chez les jeunes. Un récent sondage démontrait que seulement 3 % des adolescents âgés de 17 ans et moins employaient un condom lorsqu'ils avaient des rapports sexuels.

Des phrases comme : «Mon amie prend la pilule.» ou «On fait attention.» sont entendues tous les jours. La propagation des maladies n'est pas reliée au temps du mois où l'on fait l'amour ni à la prise d'anovulants par sa partenaire. C'est beaucoup plus sérieux que ça. Juste pour vous donner un exemple, l'autre jour je discutais avec un médecin qui me disait que les moyens de contracter le SIDA qui étaient connus aujourd'hui pourraient être plus nombreux dans un avenir rapproché. C'est-à-dire qu'aujourd'hui la médecine prétend qu'on n'attrapera pas le SIDA par contact buccal. Toutefois, il se peut qu'un jour on lise dans les journaux que les scientifiques ont découvert que le virus s'attrape en s'embrassant.

La médecine n'est pas une science absolue. Chaque jour, elle nous surprend par ses nouvelles révélations et ses contradictions. Ce qui était bon hier est néfaste ou mortel aujourd'hui. Dans les années 60, on pouvait lire aux abords des escaliers : «Ménagez votre coeur, prenez l'ascenseur.» Aujourd'hui, ces inscriptions sont remplacées par «Demeurez en santé, prenez l'escalier.» D'autres révélations nous ont étonnés dans le monde de l'alimentation. Récemment, une revue médicale titrait à la une que le café décaféiné était nocif et pouvait donner le cancer.

Si la médecine ne peut être catégorique sur certains points, on doit alors prendre davantage de précautions. Le SIDA fait de nombreuses victimes à travers le pays, tous n'avaient sûrement pas l'intention de mourir. Ces personnes se croyaient protégées et à l'abri du danger. Elles se disaient que le SIDA, c'était ailleurs mais pas ici où les gens se lavent et sont civilisés. Malheureusement, trop de gens ont cette fausse impression; alors ils gambadent à gauche et à droite sans prendre de précautions, puis un jour, ils s'étonnent d'entendre un médecin leur dire qu'ils sont séropositifs.

Pourquoi moi? C'est à peu près toujours la même réaction qu'on entend. Le médecin essaie alors de calmer le patient en lui expliquant les conséquences. L'horloge de la vie s'arrête pour un moment et la vie recommence par la suite. Si je dis recommence c'est que les personnes porteuses du virus reconsidèrent leur vie à la suite de l'annonce du médecin. Désormais, ça ne sera plus jamais pareil. Le compte à rebours peut commencer à tout moment. Même si dès la naissance on s'achemine lentement vers la mort, cette fois, c'est à un rythme inexorable et impitoyable que le temps bat la mesure.

Avant d'aller plus loin sur ce sujet, dressons un tableau des principales MTS. À l'occasion, je vous livrerai quelques chiffres relatifs à ces maladies. En ce qui concerne le SIDA, j'en parlerai dans une chapitre particulier compte tenu de son ampleur.

LA CHLAMYDIA : Cette maladie se transmet par contacts sexuels, c'est-à-dire principalement au niveau des organes génitaux en contact avec les parties suivantes du partenaire : bouche, anus ou organes génitaux. On sait qu'on est infecté lorsqu'on ressent des douleurs en urinant ou lors des relations sexuelles. Une mère qui accouche peut également transmettre la maladie à son enfant.

La chlamydia est redoutable puisqu'elle peut sommeiller longtemps avant de se déclarer. C'est pourquoi les statistiques à son sujet sont inquiétantes. Le nombre de personnes atteintes augmente sans cesse. Dans la seule province de Québec, on évalue à près de 100 000 le nombre de personnes atteintes de cette maladie qui cause très souvent la stérilité. On estime d'ailleurs que près de 10 % des femmes en âge de reproduction sont atteintes par la bactérie et les statistiques s'élèvent à 15 % lorsqu'il s'agit du groupe des 15 à 25 ans. À prendre connaissance de ces chiffres, on n'hésite pas à admettre que la fidélité a bien meilleur goût.

LES CONDYLOMES : Ces petites bosses habituellement sans douleur se retrouvent sur les organes génitaux et à l'intérieur de la bouche. Tout comme la chlamydia, les condylomes se contractent par contacts sexuels et peuvent prendre plusieurs mois et même plusieurs années avant de se déclarer. Chez la femme, des complications telles que le développement de lésions précancéreuses du col de l'utérus peuvent survenir.

L'HERPÈS : Cette infection virale se transmet généralement par des contacts sexuels intimes ou par le baiser. Actuellement, aucun traitement n'est efficace contre cette maladie. Le principal symptôme est l'apparition de cloques d'eau sur les organes génitaux et autour de la bouche. Ces infections sont généralement très douloureuses.

LA SYPHILIS : Quoique en régression depuis les dernières années, cette maladie infectieuse est toujours présente. Elle se développe en trois étapes dont la dernière peut être critique. La période tertiaire peut entraîner des problèmes cardiaques, l'aliénation mentale et même la paralysie totale.

Notre société est donc aux prises avec de graves problèmes. Je ne vous ai décrit là que les principales maladies qui sont transmissibles sexuellement. Il y a à peines 30 ans, les gens ne parlaient pas des MTS. D'ailleurs, ils les appelaient les *maladies honteuses* Peu de choses étaient connues à ce sujet si ce n'est qu'elles s'attrapaient avec les prostituées. Ceux qui voyageaient beaucoup faisaient aussi partie de ce groupe de gens mal vus de la société. Dans leur entourage on les condamnait facilement et on disait qu'ils avaient ce qu'ils méritaient.

Lorsqu'un couple se mariait, il s'unissait pour fonder une famille et demeurer solide toute sa vie. L'idée d'aller butiner ailleurs était en soi un péché; alors, imaginez-vous ceux qui le faisaient vraiment. La contraction de ces maladies honteuses était le châtiment réservé à cette classe indécente de la société. Leur désobéissance à la bienséance devait être punie par l'Être supérieur et c'est en subissant ces peines qu'ils expiaient leurs péchés.

Aujourd'hui, la société est plus indulgente et porte moins de jugements face aux victimes de MTS. L'arrivée des multiples moyens contraceptifs a contribué à augmenter le nombre de partenaires sexuels. Le temps où on ne se donnait qu'à une personne au cours de sa vie était donc révolu. L'ère des partenaires multiples venait de naître. L'idée de pouvoir contrôler la contraception venait de permettre à bien des gens de «sauter la clôture». À ce moment-là, ils ne pensaient même pas qu'ils pouvaient contracter quoi que ce soit puisque seules les personnes de mauvaise vie y étaient sujettes. Par le fait même, les couples ont éclaté et ce fut la dégringolade. Les divorces se sont multipliés et ont engendré l'avènement des familles monoparentales.

La durabilité du couple est devenue contestable et la fidélité en a pris un coup. Désormais, on se mariait en se disant que si ça ne marchait pas, on divorcerait. Tous devenaient volages sans penser aux conséquences puisque le problème de la contraception était enfin réglé et que c'était là le seul véritable point qui freinait l'expérimentation de l'amour libre. De ce fait, les gens ne se préoccupaient plus de rien et ils agissaient avec l'esprit tranquille. Par contre, la possibilité d'attraper des maladies vénériennes ne leur frôlait même pas l'esprit.

Ce qui devait arriver, arriva. La multiplication des partenaires a eu un effet pyramidal. Celui qui avait eu deux partenaires qui en avaient eu deux aussi venait d'être mis en contact avec six personnes. Supposons simplement que ceux qui sont à la base ont eu deux partenaires également, notre première victime est donc rendue en contact avec 14 personnes. Le phénomène n'a pas pris de temps à se développer et les statistiques sur les MTS ont grimpé. On ne connaît pas les anciens partenaires d'un nouveau partenaire et encore moins les contacts qu'ils ont eus auparavant. Les risques sont devenus très élevés en l'espace de quelques années seulement. Ce qui semblait être la ruée vers l'or s'est vite transformé en tourments. Certains en ont profité tandis que d'autres se sont vu transmettre des maladies. La crise passée, le mal était causé et l'épidémie allait faire son chemin. Comme la condamnation n'avait pas été assez grande, le SIDA devait, par la suite, faire son apparition. Voilà que toutes les maladies que la médecine contrôlait venaient de se faire damer le pion par ce virus.

Et la vie moderne...

L'ère à laquelle nous appartenons a pour conséquence de faciliter les rapports sexuels chez les jeunes. Les parents qui sont sur le marché du travail, les nombreuses activités et l'apparition de familles monoparentales ont eu pour effet de défavoriser les relations parents-enfants au profit des relations entre adolescents. De ce fait, le jeune toujours à la recherche de l'amour inconditionnel connaît des expériences sexuelles à un âge précoce. Environ 50 % des adolescents ont déjà eu des relations sexuelles avant l'âge de 16 ans.

Ils deviennent ainsi vulnérables et sont sujets à contracter des MTS s'ils ne font pas attention. Même si dans les écoles on parle et on informe sur la sexualité, il n'en demeure pas moins que les adolescents sont immatures lorsqu'ils font l'amour. Moins de 3 % des adolescents emploient un condom lors des relations. Il est d'ailleurs prouvé que la première relation sexuelle d'un adolescent est rarement planifiée. Alors, puisqu'il en est ainsi, comment l'adolescent peut-il être préparé et muni d'un condom? L'utilisation du condom dans le présent cas ne réfère pas à la contraception mais à la protection contre les maladies, quoique 50 % des jeunes qui sont actifs sexuellement n'utilisent aucun moyen de contraception.

Il serait facile de faire de la prévention si tous les gens s'en donnaient la peine, mais la facilité, l'oubli, l'impulsion du moment et la négligence ont préséance sur l'attention. Tous ces facteurs ne font pas reluire la situation pour les jeunes d'aujourd'hui. Les risques sont énormes et les virus transmis se révèlent mortels. La fidélité chez les jeunes a repris lentement sa place, mais le simple fait d'avoir connu un ou une partenaire auparavant transforme les règles du jeu. Maintenant, avant d'avoir des relations avec un nouveau partenaire, on lui demande de passer des tests! Ce n'est pas très romantique mais ça aide à rester en vie.

Si la situation se précipite, les gens utilisent alors le condom. C'est vrai pour un certain nombre de personnes mais pas pour une majorité. De ce fait, la propagation des maladies se poursuit et, au lieu que le nombre de MTS diminue, il augmente. Il n'y a pas que les adolescents qui soient la cible des MTS, rappelez-vous que 75 % des victimes ont moins de trente ans. S'il est facile de croire qu'il n'y a que les jeunes qui puissent attraper ces maladies, c'est qu'on les connaît immatures et aventureux. Selon les adultes, le goût du risque des adolescents les amène à tenter beaucoup d'expériences dont ils deviennent facilement des victimes.

Toutefois, le danger de contracter une maladie ne repose pas sur le nombre d'expériences. Une personne peut n'avoir eu qu'une seule relation et avoir contracté un virus. Comme dans bien des cas, ce n'est pas une question de quantité mais plutôt de qualité. Encore une fois, je vous répète qu'il ne s'agit pas de porter une jupe propre ou un pantalon bien pressé pour être exempt des MTS. Même si votre partenaire est bien mis, il peut être séropositif. Cela ne s'évalue pas à l'allure mais au nombre de partenaires acquis. Comme je vous le mentionnais auparavant, c'est un principe pyramidal.

La vie moderne nous apporte donc des complications dans nos relations parents-enfants même si les difficultés de communication ont toujours existé à l'adolescence. Les jeunes semblent s'éloigner de vos idées; par contre, les valeurs que vous leur avez inculquées demeurent bien présentes. Vous ne devez pas jouer leur jeu et couper les entretiens que vous aviez avec eux car ce sera votre seul lien. Lors de la période de l'adolescence, les parents se sentent inutiles et ont l'impression de parler dans le vide. Ce sentiment est compréhensible mais il est tout à fait inexact.

Les adolescents sont très sensibles aux discours des parents. C'est la prise de conscience de leur possibilité d'autonomie qui les pousse à réagir contre les directives de leurs parents. Ils sentent qu'ils peuvent avoir un certain pouvoir et, petit à petit, ils s'en servent, quoique trop souvent maladroitement. Même si on les met en garde contre les dangers de la drogue, de l'alcool et de l'amour précoce, ils prennent quand même des risques. C'est plus fort qu'eux!

Imaginez que vous cessiez de communiquer avec vos enfants sous prétexte qu'ils ne vous écoutent pas. Vous vous dites : «Qu'ils s'arrangent!» Votre fille revient un soir à la maison en pleurant et vous informe que son médecin vient de lui annoncer qu'elle a contracté la syphilis. Quelle sera votre réaction? Plusieurs se diront alors : «J'aurais dû être plus sévère!» Il faut garder en tête que cette maladie peut revenir à la surface 10 ou 20 ans plus tard et être mortelle. Le dialogue est un des moyens de prévenir les bêtises.

C'est une vie infernale que vivra désormais cette jeune fille. Elle devra suivre des traitements et s'assurer que la maladie ne dort pas en elle, sinon plusieurs dangers la guettent. Le quart des personnes atteintes de la syphilis et qui n'ont pas été soignées en raison de l'état latent de la maladie en ont payé le prix.

L'enfer est à la porte de ceux qui vivent dans la promiscuité et qui ne savent pas dire non. La société doit, pour s'en sortir, se redresser et reprendre le contrôle de la situation. Les parents ont le *devoir* d'éduquer leurs enfants car la société de demain sera composée d'eux. Les erreurs que nous avons faites il y a vingt ou trente ans se répercutent sur la société actuelle. Si nous jouons à l'autruche avec des sujets aussi fragiles que la drogue, les MTS et même l'environnement, on paiera cher notre irresponsabilité.

Il faut donc commencer à informer à la base, c'est-à-dire les jeunes. Les parents ont une grande responsabilité face à notre avenir. C'est eux qui modèlent ceux qui prendront la relève. Si le prochain cru est sans respect, matérialiste et insensible, les parents d'aujourd'hui n'auront pas à se féliciter. Les périodes de temps de plus en plus courtes que les parents allouent à leurs enfants ne font qu'augmenter les risques d'une société apathique. Comme ils ne voient pas souvent leurs enfants, ils compensent en leur donnant des cadeaux et des permissions. Ça semble aussi efficace et ça prend beaucoup moins de temps.

Qu'est-ce qui se passe dans la tête d'un être humain qui a besoin d'amour et d'attention lorsqu'il n'en reçoit pas? Il en cherche désespérément. C'est alors que les jeunes se tiennent en groupe et s'influencent mutuellement. Ils retrouvent là l'amour et l'écoute qu'ils recherchent. La situation se complique lorsque le groupe d'amis se livre à toutes sortes d'expériences. Les premiers contacts avec la drogue et les premières relations sexuelles se passent souvent là. Les adolescents sont en confiance puisqu'ils expérimentent les mêmes choses et sont assurés de ne pas se faire juger. Par contre, les risques sont plus grands, compte tenu que ces jeunes n'ont pas de frontières et qu'ils fixent eux-mêmes les limites.

Si les parents n'interviennent pas, la naïveté de l'adolescent aura raison de sa vie. Trop de gens croient que, s'ils parlent de drogues ou de sexualité, ils ne feront qu'encourager les jeunes à s'y adonner. La prévention peut sauver des vies. Alors, prenons nos responsabilités et arrêtons de tout rejeter sur la société. C'est un appel important que je lance aux parents lorsque je leur demande de toujours demeurer en contact avec leurs jeunes. Si vous ne leur enseignez pas les dangers reliés aux conséquences de la sexualité, par exemple, vos enfants feront partie des statistiques.

Si on veut changer le sort de la société, il faut savoir communiquer librement avec nos enfants et nos adolescents. Les gens doivent montrer honnêtement ce qu'ils ressentent face à l'avenir. Au rythme où vont les choses, la planète ne pourra pas survivre longtemps à la pollution. La présence toujours grandissante de la drogue et du SIDA contribuera rapidement à l'extermination de la race humaine. Les jeunes doivent être sensibilisés à ces phénomènes.

Que doit-on faire pour conserver une bonne communication avec nos adolescents? Il faut premièrement ne jamais couper cette communication sous prétexte que l'adolescent n'a plus besoin de nos conseils ou qu'il ne les suit pas. Lors d'une discussion, soyez honnête relativement à vos craintes et à vos sentiments. Si quelque chose vous inquiète, vous devez en parler avec votre jeune. Ne passez pas de jugements, écoutez ce qu'il a à dire et, au besoin, posez-lui des questions. Vous demeurerez ainsi sur la même longueur d'onde.

N'imposez pas vos idées sans connaître l'opinion de votre adolescent. Les parents ont tendance à monologuer lorsqu'il s'agit de mettre les leurs en garde. Si vous agissez ainsi, l'enfant agira à l'opposé de votre consigne. Gardez en mémoire que ce sont des êtres humains et qu'ils ont une personnalité et des opinions propres. Votre temps, qui est précieux, devra se fractionner encore une fois afin de porter beaucoup d'attention aux préoccupations de votre jeune. Même si votre adolescent vous présente un problème qui vous paraît banal, prenez le temps d'en discuter avec lui. Leurs inquiétudes sont simplement différentes des vôtres.

Vous devez donc demeurer disponibles lorsqu'il a besoin de vous. Favorisez les échanges lorsque les occasions le permettent et n'attendez pas que les problèmes surviennent pour prendre du temps pour dialoguer. N'insistez pas lorsqu'il ne veut pas tout vous dire à propos d'un événement. Tout comme vous, il a une vie privée et des secrets qu'il ne dévoilera peut-être jamais à personne. Guidez-le au mieux de votre connaissance lorsque vous n'avez pas tous les éléments d'une situation, vos propos l'aideront sûrement à voir d'autres perspectives.

Les problèmes que l'adolescent connaît aujourd'hui ne seront plus les mêmes dans quelques années ou même quelques mois. Les idées changent et évoluent rapidement à cet âge. De ce fait, on ne doit pas condamner l'opinion qu'il peut avoir sur certains sujets mais plutôt essayer de le comprendre et le guider. Depuis des millénaires la société a changé et ce n'est pas aujourd'hui qu'on arrêtera le progrès. Il faut vivre avec son temps et accepter les idéologies nouvelles.

Votre dignité et vos valeurs doivent demeurer intactes. Trop de gens manquent de respect pour eux-mêmes. Ils se laissent bafouer par les modes et les influences sociales. Ils ne se posent pas de questions, ils n'ont pas assez de coeur pour se lever et contredire un fait. «Ce n'est pas drôle, mais c'est comme ça que ça marche!» Voilà ce qu'ils répondent lorsqu'un événement survient. Ils n'essaient pas de lutter pour leurs idées mais, au contraire, ils se résignent face aux faits.

Il faut être ouvert mais il faut aussi être sensé. Le fait d'écouter son adolescent ne veut pas pour autant dire qu'on accepte son point de vue. Il faut comprendre le temps dans lequel vit l'enfant et ne pas faire de comparaison avec ce que l'on vivait. Ce que je n'aurais pas fait il y a 20 ans, les jeunes d'aujourd'hui le font maintenant et ce qu'ils n'osent pas faire aujourd'hui, ceux de demain le feront. Alors, il est inutile de partir des guerres sur ce qui se fait et ce qui ne se fait pas. Ce que vous devez faire, c'est de laisser à votre adolescent le plus bel héritage qu'il n'aura jamais eu, c'est-à-dire un sens des responsabilités, un sens des valeurs et le partage de l'amour.

Le SIDA ou l'enfer terrestre

«Ce qui nous garde en vie sur la terre, c'est qu'on ne sait pas à quel moment on va mourir.» Tout ce qui entoure la mort est bien nébuleux. Selon nos croyances, nous avons terminé notre mission sur la terre après un passage ou nous pouvons nous réincarner. Qui a raison, qui a tort? Toutefois, que la mort nous fasse peur ou pas, c'est plutôt la manière de nous y rendre qui nous effraie. La souffrance, que plusieurs connaissent, n'est pas tout à fait le chemin qu'on veut prendre pour mourir. Lorsque je parle de la mort avec des gens, tous sont unanimes à dire qu'ils veulent mourir dans leur someil. Ils ne veulent avoir conscience de rien.

Si je vous annonçais à quelques semaines près le moment de votre mort, comment réagiriez-vous? Pire encore, si je vous élaborais les souffrances par lesquelles vous auriez à passer, que feriez-vous? C'est pourtant ce que vivent des centaines de personnes qui sont atteintes du SIDA. Au Canada, on dénombre plus de 1 500 cas. Il ne faut pas oublier de mentionner des chiffres encore plus alarmants; toujours au Canada, plus de 50 000 personnes sont porteuses du virus.

Lorsqu'on apprend qu'on est porteur du virus, on se pose un tas de questions. Est-ce qu'il va se développer? Si oui, quand et combien de temps vivrai-je par la suite? L'enfer qui attend une de ces victimes n'est certes pas de l'autre côté mais ici sur cette terre. C'est pourquoi j'ai comparé le SIDA à l'enfer terrestre. Le désespoir auquel le sidatique doit faire face est insupportable et intolérable. Il est un mort vivant. L'espoir de voir demain s'assombrit de jour en jour. Les parents et amis des victimes s'éloignent comme si le simple contact visuel leur faisait attraper le SIDA. C'est la solitude et la déchéance à la fois, c'est l'enfer terrestre.

À l'échelle mondiale, le *virus d'immunodéficience humaine*, communément appelé VIH, se propage rapidement. Selon les statistiques, ce nombre continuera d'augmenter et de toucher les enfants, et les adultes des deux sexes. Le nombre de morts reliés au SIDA progresse de façon dramatique chaque année. Les médecins et les chercheurs ne parlent plus d'un phénomène, ils parlent d'une épidémie. Notre mode de vie étant plus permissif, on avance lentement mais sûrement vers le bord du gouffre. Tout est permis et sans souci! Toutefois, la réalité est tout autre. L'irresponsabilité des êtres humains les conduit directement à l'agonie.

Comme le plaisir éphémère l'emporte souvent sur l'idée des dangers «possibles» de contracter une maladie quelconque, l'être humain ferme les yeux et sourit en adoptant l'attitude de la majorité qui se dit : «Ça n'arrive qu'aux autres.» Évidemment, comme il faut qu'il y en ait d'«autres» alors un beau jour, ça tombe sur nous! Pourquoi moi? Cruel destin, qu'est-ce que j'ai fait au bon Dieu? Voilà autant de questions que l'on peut se poser mais qui ne vaudront jamais la prévention. De nos jours, les questions il vaut mieux se les poser avant qu'après. Devenir une statistique sur pattes n'a rien de très valorisant, surtout en ce qui concerne le SIDA.

Dans les prochaines pages je vais vous brosser un tableau de cette maladie et de ses symptômes. Je ferai la lumière sur bien des questions qui sont souvent posées.

Qu'est-ce au juste que le SIDA? C'est une maladie causée par un virus que l'on appelle VIH (ci-dessus défini) lequel s'attaque au système immunitaire de l'organisme et réduit sa capacité de combattre les maladies. De ce fait, les personnes atteintes de ce virus deviennent plus vulnérables aux infections ainsi qu'à certains types de cancer qui, habituellement, ne représentent aucun danger pour une personne dont le système immunitaire fonctionne bien. Ainsi, les sidatiques peuvent succomber à une foule de maladies dont le cancer.

Comment puis-je l'attraper? Il y a actuellement trois façons reconnues par la médecine d'attraper le SIDA. La première est en ayant des rapports sexuels avec une personne infectée; la deuxième, en utilisant les mêmes seringues qu'une personne atteinte par le virus et la troisième, en naissant d'une mère porteuse du virus. Donc le virus se situe au niveau du sperme, du sang et de certaines sécrétions. Même si le virus est présent dans l'organisme, il doit atteindre le système sanguin d'une personne pour l'infecter. C'est ainsi qu'une personne peut ne présenter aucun symptôme et transmettre le virus.

Est-ce dangereux si?... On se pose une foule de questions sur la possibilité d'attraper le SIDA par d'autres moyens. Mentionnons qu'actuellement la médecine prétend qu'on ne peut pas attraper le virus lors de contacts quotidiens, c'est-à-dire en touchant à quelqu'un, en donnant la main, par la toux, dans une piscine publique, dans des salles de toilettes, en buvant dans le même verre, en mangeant dans les mêmes assiettes. De plus, il est faux de croire qu'un insecte ayant piqué une personne infectée par le VIH peut nous transmettre le virus s'il nous pique. Les donneurs de sang n'ont rien à craindre, eux, puisque à chaque nouveau donneur, on utilise une nouvelle aiguille.

Les sidatiques sont souvent laissés à eux-mêmes par leurs parents et amis qui croient qu'il est possible de contracter le virus simplement en cohabitant avec eux. J'ai vu une mère refuser à son enfant d'approcher son père qui était sidatique. Le père a vécu des moments de frustration énormes. Il est allé jusqu'à faire des pressions sur son médecin pour qu'il convainque son épouse de le laisser approcher son enfant. Ses amis l'ont laissé tomber et aucun d'eux ne lui donnait signe de vie. Il vivait comme dans un cauchemar mais chaque matin, au réveil, il ouvrait les yeux en réalisant que ce n'était pas un rêve. Sa peur de la souffrance, ajoutée à celle de la mort, le traumatisait.

Quels sont les symptômes? Comme j'en ai déjà fait mention, il n'est pas nécessaire d'avoir des symptômes pour être atteint du VIH. On peut même avoir le virus pendant des mois ou des années sans le savoir. Pire encore, on peut transmettre le virus à d'autres personnes sans même être conscient qu'on l'a. C'est alors que commence l'épidémie puisqu'on trouve inutile le fait de se protéger. On butine à gauche et à droite, on ne se protège pas, et nos partenaires candides se font refiler le virus. «Candides» est un bien grand mot puisque, de nos jours, tous devraient savoir qu'on ne fait pas l'amour avec le premier venu et encore moins sans se protéger.

Pour la personne dont la maladie se développe, les symptômes sont les suivants : on remarque un gonflement des ganglions lymphatiques au cou, aux aisselles ou à l'aine. Une fatigue continuelle s'installe, l'individu perd du poids, a des diarrhées persistantes, des transpirations noctures, des infections à la bouche et présente une toux. Des problèmes de peau, des douleurs lorsqu'il avale et des maux de tête chroniques peuvent également apparaître. Plusieurs personnes se précipitent chez le médecin lorsqu'elles présentent un de ces symptômes, croyant qu'elles sont atteintes du SIDA.

Il ne faut pas paniquer car ces symptômes sont aussi reliés à d'autres maladies. Présenter un ou deux symptômes ne veut pas nécessairement dire qu'on est infecté, tout comme ne pas avoir ces manifestations ne veut pas dire qu'on ne l'est pas. Il faut être prudent si on veut demeurer en vie. Rien ne nous empêche de jouer avec notre santé mais il est interdit de jouer avec celle des autres. Transmettre le virus du SIDA à un ou une partenaire, c'est un crime. C'est lui placer sous les pieds une bombe à retardement dont on ne peut prédire l'heure de l'explosion.

La responsabilité est grande quand vous faites l'amour avec de multiples partenaires. Si vous ne prenez aucun moyen de protection, vous vous exposez à de graves dangers et vous mettez en péril la santé et la vie de votre partenaire. Je sais que plusieurs souriront en lisant ces lignes mais faut il rappeler les chiffres relevés au Québec en ce qui concerne les maladies transmissibles sexuellement!

40 000	cas de gonorrhée
100 000	cas de chlamydia
13 000	cas d'herpès
30 000	victimes du VIH
700	cas de SIDA

TOTAL : 183 700 cas répertoriés de victimes de MTS, sans compter les victimes de condylomes, de syphilis et d'hépatite B. Les médecins ont raison d'être pessimistes face à l'avenir si les gens ne se prennent pas en main. Ils n'hésitent pas à prononcer le mot «épidémie» lorsqu'ils parlent du virus d'immunodéficience humaine. Quand la société prendra-t-elle ses responsabilités?

Au niveau mondial, plus de dix millions de personnes sont infectées par le virus et plus de cent quarante mille cas de SIDA ont été signalés depuis le premier cas rapporté en 1982. La progression se fait rapidement et ne laisse pas place à l'insouciance. L'effondrement du système immunitaire est catastrophique pour l'être humain car la recherche sur les traitements de la maladie n'avancent que très lentement. À ce jour, aucun vaccin n'a été trouvé. Des progrès se font quotidiennement mais le mal continue à se propager. Nous sommes les seules personnes capables de réduire l'épidémie.

En se limitant à un seul partenaire sexuel dont on est sûr qu'il n'a pas le virus et en ne s'injectant pas de drogue on arrêtera ainsi le mouvement pyramidal. Le problème est plus sérieux qu'on pense. Il faut réaliser l'ampleur de nos gestes. J'entendais récemment, à une ligne ouverte d'une station radiophonique, un intervenant qui disait avoir une vie sexuelle active (il entendait par là avoir plusieurs partenaires sexuels) et qui ne voulait rien savoir de porter un condom. Je me suis alors dit que c'était son droit le plus strict que de faire l'amour avec qui il veut et sans se protéger. Je ne me préoccupais pas de son attitude mais plutôt de l'inconscience et de l'immaturité qu'avaient ses partenaires d'accepter cette situation.

Cet homme disait qu'il prenait une chance. Ce qu'il faut dire c'est que les femmes qui partagent le lit avec lui en prennent toute une. Si vous perdez mille dollars au jeu, vous pouvez vous consoler en vous disant qu'un jour vous allez regagner cette somme. Toutefois, si vous contractez le virus du SIDA et qu'il se développe, vous ne pourrez pas dire que vous allez recouvrer votre santé. À ce jour, rien ne peut arrêter le virus de faire du tort, pensez-y bien. Aucun médecin n'a de remède magique à vous prescrire pour que vous retrouviez votre santé.

La recherche à ce sujet en est au stade préliminaire. On étudie certains médicaments qui pourraient réduire les dommages causés au système immunitaire. Ces remèdes atténueraient les symptômes et amélioreraient ou prolongeraient la durée de vie d'une victime. Aucun médicament ne guérit véritablement l'infection puisqu'il ne peut détruire le virus ou l'éliminer complètement du système.

Lorsqu'une personne est infectée par le VIH, les conséquences se font sentir progressivement. Plus le système immunitaire s'affaiblit, plus les symptômes et les complications sont présents. Il y a quelques années, on avançait que 35 % des personnes infectées par le virus développaient le SIDA après une période de sept ans. Puisqu'il s'agissait là des premières compilations sur le sujet, il n'est pas dit que ce pourcentage n'a pas augmenté avec les années. On en viendra peut-être à dire que tous les gens infectés du VIH auront tôt ou tard le SIDA.

Puis-je savoir si je suis contaminé? Il est évidemment possible de savoir si vous avez contracté le virus d'immunodéficience humaine. Ceux qui craignent de l'avoir doivent tout d'abord consulter leur médecin. Ce dernier verra s'il est approprié d'effectuer un test de dépistage des anticorps du VIH. Il est à noter que le test permet de connaître si vous avez le virus mais ne permet pas de préciser si vous êtes atteint du SIDA. Le test démontre que le virus a déjà pénétré dans l'organisme à un certain moment mais on ignore s'il se développera ou pas.

Si le résultat se révélait négatif, c'est-à-dire qu'on ne retrouvait aucune trace d'anticorps, on peut conclure qu'il n'y a pas d'infection. Toutefois, il ne faut pas crier victoire trop vite. Il se peut qu'il y ait eu infection dans les trois mois, au plus, précédant le test et que les anticorps ne se soient pas encore développés, ce qui aura pour effet de fausser les résultats. Si vous passez un test et qu'il se révèle négatif, cela ne signifie pas que vous êtes éternellement à l'abri du virus. Votre comportement sexuel et votre attitude face à la prévention seront les seuls moyens que vous posséderez pour vous tenir loin de la maladie.

Imaginons que vous avez 28 ans, que vous êtes célibataire et êtes une femme rangée qui n'a jamais eu d'aventures. Vous sortez un soir et vous rencontrez un jeune homme au début de la trentaine. Pendant plusieurs mois, vous le fréquentez et vous discutez d'une foule de sujets dont, évidemment, sa vie amoureuse antérieure. Il vous assure qu'il n'a jamais eu de rapports complets avec d'autres partenaires. Jusque-là, tout va bien. Puisqu'il vous semble bien et que vous connaissez son passé, vous décidez d'avoir des rapports sexuels avec lui. Ce que cet homme n'a pas cru bon de vous dire puisque son expérience fut de courte durée, c'est qu'il a trempé dans le monde de la drogue pendant quelques mois. Il se piquait en compagnie d'amis, à l'aide d'aiguilles ayant déjà servi.

Bien que le passé sexuel de notre homme semble étincelant, les risques de transmission du virus sont aussi grands. Ne pas dévoiler toutes les principales activités de notre passé est une preuve d'irresponsabilité. Cette femme de 28 ans se retrouvera peut-être avec le SIDA dans quelques mois même si elle était sûre d'être protégée. De plus, les nouveaux partenaires peuvent nous faire croire ce qu'ils veulent puisqu'on ne connaît pas véritablement leur passé. Ils peuvent aussi ne pas vouloir tout dévoiler par crainte d'être rejeté ou par gêne tout simplement.

Imaginons maintenant un autre scénario. Un couple est marié depuis quelques années. La femme apprend qu'elle est enceinte et c'est la joie dans la maison. Ce que son mari ne lui dit pas, c'est qu'il a eu, quelques mois auparavant, une relation avec une copine de travail. L'aventure n'était pas sérieuse et comme c'était la première fois de sa vie qu'il sautait la clôture, il n'en a jamais glissé un mot à personne. Il est évident qu'il ne serait pas allé se vanter de cela à sa conjointe. Toutefois, il ne connaît pas le passé de cette femme. Il ne sait pas combien de partenaires elle a eus avant lui et encore moins combien ceux-ci en avaient eus avant. Par ce simple petit acte dérogatoire, il venait peut-être d'infecter son épouse et, par conséquent, son futur enfant. Peut-on prendre de telles chances?

Il est prouvé qu'une mère infectée a une chance sur trois de transmettre le VIH à son enfant. Il y a encore ici trois manières possibles. La première est évidemment pendant la grossesse, la deuxième est lors de l'accouchement et la troisième dans la période de l'allaitement. Il est à noter que, dans ce dernier cas, les chiffres sont négligeables.

Si on revient à notre deuxième histoire, il semble inconcevable de mettre au monde un petit être dont l'avenir à court ou à moyen terme est déjà hypothéqué. Celui ou celle qui agit de la sorte commet selon moi un crime. Dans le cas qui nous concerne, il s'agit de deux crimes puisque la mère et l'enfant peuvent être touchés. Ceux qui s'amusent à butiner ont peut-être droit de le faire mais qu'ils se protègent afin de ne pas compromettre l'avenir de leurs proches. Les gestes qu'ils font relèvent de leur entière responsabilité. De ce fait, les conséquences doivent être assumées par eux. Comme dans le cas du SIDA les conséquences se transmettent à d'autres victimes, les personnes volages devraient se protéger adéquatement. Ce n'est pas un petit «excuse-moi» ou «pardon» qui va régler la situation. Le décompte sera alors commencé et les jours et les minutes s'envoleront dans une course folle. Ce sera l'enfer terrestre!

TROISIÈME PARTIE

La rémission

Comme vous avez pu le constater dans des pages précédentes, la société court à sa déchéance. Les êtres humains débordent de talents et s'amusent à étouffer leurs possibilités. Ils se servent de drogues, et abusent de l'alcool pour se cacher des réalités de la vie. C'est vrai que la vie n'est pas facile à tous les jours. Par contre, nous avons tous le potentiel pour lutter et arriver à nos fins. C'est une question d'attitude. Les gagnants font arriver les choses tandis que les perdants attendent que les choses arrivent.

Si la société s'engouffre dans des dédales inextricables, elle est la seule à pouvoir s'en sortir. Nous ne sommes pas tous assis à la même place dans le train de la vie et d'aucuns, par chance, voient la lumière au bout du tunnel. L'avenir n'est pas sombre pour tout le monde. Ceux qui veulent réussir dans ces années difficiles le peuvent encore. Les valeurs et la bienséance ont encore leurs places dans la société même si seulement une petite élite en est consciente.

Le respect de soi et des autres est encore de mise de nos jours. Je sais qu'il est de plus en plus rare de voir des jeunes qui ont le respect des gens et des choses. Ils ne se sont pas éduqués par eux-mêmes, alors ces déficiences des valeurs sont reliées à la piètre attention portée par leurs parents. Comme les parents n'ont plus le temps, les jeunes s'élèvent en partie par eux-mêmes avec les valeurs qui les satisfont le plus. De ce fait, le jeune qui reçoit quelque chose de quelqu'un ne dit plus merci. C'est inutile puisque tout lui est dû. En plus, personne n'est là pour le reprendre lorsqu'il omet une formule de politesse.

C'est devenu normal de vivre dans une société pareille. Personne ne se pose de questions, personne ne réagit. Le côté démentiel de la planète semble dominer la raison. Le bon sens et le jugement doivent être redéfinis presque quotidiennement. Les limites n'existent plus, les devoirs non plus. La société devient inexorablement égocentrique. Je réussis, je veux, je suis, j'ai, je, je, je et je. Il n'y a plus de place pour les autres. Notre personne est ce qu'il y a de plus important dans cet univers.

L'altruisme est relégué aux oubliettes, les avantages de la satisfaction personnelle nous sont vantés dans les messages publicitaires. Si vous buvez telle bière, vous aurez droit à tel type de partenaire. Si vous portez telle sorte de vêtements, vous attirerez tous les regards du sexe opposé. Si vous adoptez tel parfum, tout le monde vous aimera. Lorsque je regarde aller tout ça, je me dis que les gens devaient manquer énormément d'amour avant que ces produits existent! Maintenant, on vend l'amour comme des bonbons à la cent. Plus tu investis dans les valeurs matérielles, plus ton entourage trouve que tu as toi-même une grande valeur.

L'objet et le matériel sont devenus le signe de la réussite. Le mot «fonctionnel» a perdu tout son sens. Une montre n'a plus besoin d'afficher l'heure pour être une montre, pourvu qu'elle vaille plus de 500 dollars. Un gilet n'a plus besoin d'être chaud pour le corps, pourvu qu'il porte un nom prestigieux. Ce sont les parents modernes qui inculquent actuellement ces valeurs aux jeunes en obéissant aux modes et aux influences de la société.

Ils s'attardent tellement à leur réussite professionnelle qu'ils délaissent leur rôle de parent. Le temps alloué à leurs enfants est réduit au minimum et l'autorité n'a plus de place. L'exemple type est celui du couple qui termine sa journée de travail à 17 heures. Le mari va chercher les enfants chez la gardienne, à la garderie ou à l'école pendant que la femme passe à l'épicerie pour acheter ce qui manque. Ils se retrouvent tous à la maison vers 6 heures et préparation du souper commence. À 6 heures 45, ils passent à la table. Les discussions tournent autour de leur travail et on demande aux enfants comment s'est déroulée leur journée.

Pendant le repas, les enfants crient, tentent d'attirer l'attention et agissent parfois déraisonnablement sans aucune réprobation de la part des parents. Au contraire, ces derniers se montrent compréhensifs face à l'attitude de leurs enfants. Tourmenté par un sentiment de culpabilité refoulé, le couple avertit amicalement les enfants puis les laisse faire même s'ils continuent. Les parents n'osent pas être sévères afin que les enfants n'aient pas une image négative d'eux et qu'ainsi ils ne perdent pas leur amour. À

7 heures, ils sortent de table, lavent la vaisselle, donnent le bain aux enfants et bonsoir, bonne nuit. Une autre journée dans la vie d'une famille moderne vient ainsi de se terminer.

Même s'il n'est pas toujours drôle à jouer, le rôle de parent doit être tenu. N'essayez pas d'attirer la sympathie de votre enfant en étant un ami pour lui au détriment de la relation parent-enfant. Gardez en tête que vous êtes avant tout le père ou la mère de cet enfant, pas son ami. Cela ne veut pas dire que vous ne pouvez pas avoir de complicité avec lui mais que les relations doivent respecter certains rapports. Si vous êtes l'ami de votre enfant, qui en sera le père ou la mère? Avec notre modernisme on est en train de tout balancer en l'air. L'amour dont l'être humain a besoin ne s'adaptera jamais aux changements. Psychologiquement, l'homme doit se sentir aimé tout au long de sa vie pour évoluer. C'est un critère qui ne change pas, malgré les moeurs et les coutumes contemporaines.

Ce qui fait réagir une personne, ce sont les sentiments. De tout temps, les rois, les reines, les empereurs et les pharaons ont toujours été entourés de sujets qui devaient les aimer, les respecter. Ces souverains allaient même jusqu'à faire tuer ceux et celles qui n'étaient pas de leur avis. Ils avaient besoin de se sentir aimés et adorés par tout un peuble. Sur une base plus modeste, nous sommes tous semblables à eux. Déjà, enfants, nous tentions d'attirer la sympathie des adultes en distribuant des sourires. À l'école, nous voulions appartenir aux groupes et nous sentir acceptés par nos confrères et consoeurs de classe. À l'âge adulte, nous nous parons de nos plus beaux atours lorsque nous avons à rencontrer un nouveau client ou lorsque nous passons une entrevue.

Aimez-moi, aimez-moi et aimez-moi, voilà ce qui nous anime tous les jours sans que nous nous en rendions compte. La preuve, c'est que lorsqu'une personne nous fait du tort, nous éprouvons alors un autre sentiment pour elle. L'amour fait place à la haine. Si l'autre est capable de me faire une chose pareille, c'est qu'elle ne m'aime pas alors je la punirai en la privant de mon amour. Toutes les finesses que nous lui aurions faites sont alors remplacées par des agissement contraires. Le sourire qui devrait attirer fait place à l'apathie. Le bonjour qui devrait montrer notre intention de communiquer fait place au silence. Nos bonnes paroles à l'endroit de cette personne font place à la médisance et au dénigrement. C'est le châtiment que l'être humain applique à ceux ou celles qui ne veulent pas lui donner leur amour.

Dans le même ordre d'idées, l'enfant a besoin de sentir cet amour. Je compare souvent l'amour à l'eau que l'on donne à une plante. Plus le pot est petit, plus l'eau contenue dans ce dernier s'évapore rapidement. De ce fait, il faut en redonner fréquemment. De la même façon, l'amour que vous donnez à un enfant s'évapore plus vite que celui donné à un adulte. Comme il a une capacité d'entreposage très limitée, il doit constamment être arrosé.

Alors que je déménageais, j'avais décidé d'entreposer une plante dans mon sous-sol. Les autres étaient dans des pièces bien éclairées et je les arrosais au besoin. J'ai négligé pendant un mois d'arroser la plante solitaire et quand j'y suis retourné, la terre était sèche, les feuilles étaient brunes et recroquevillées sur elles-mêmes. J'ai décidé de l'arroser pour qu'elle reprenne vie, mais en vain. Elle ne pouvait reprendre le dessus en raison des nombreuses carences relatives au manque de soins.

Depuis ce temps, j'ai rencontré beaucoup de jeunes qui ressemblaient à ma plante. Leurs parents avaient oublié de les arroser (aimer) et les enfants s'étaient recroquevillés sur eux-mêmes. Leurs idées étaient brunes et leurs attitudes étaient sèches. Je me disais que si leurs parents essayaient de les arroser, il se pourrait qu'ils fassent comme ma plante c'est-à-dire qu'ils ne soient pas capables de reprendre le dessus en raison des lacunes antérieures. La plante ne peut pas vivre sans eau comme l'être humain ne pas pas vivre sans amour. Lorsque les enfants se sentent abandonnés par leurs parents, ils cherchent ailleurs l'amour qu'ils ne retrouvent pas à la maison et portent toute leur vie le poids d'un tel rejet.

C'est ainsi qu'ils se joignent à des groupes, des sectes religieuses douteuses et des réseaux de toutes sortes. Ils créent le monde qu'ils n'ont pas. Ils se laissent influencer par les personnes qui semblent les aimer. J'ai bien dit «semblent» car les jeunes ont de la difficulté à reconnaître l'amour à l'adolescence puisqu'ils sont en constante évolution. Ils obéiront facilement à quelqu'un qui leur porte une attention particulière. Toutefois, si les intentions de cette personne sont mauvaises, la majorité des adolescents se laissera berner puisque, en réalité, ce qu'ils vont chercher c'est de l'amour.

C'est ainsi qu'une foule de jeunes s'associent à des sectes dont les rites sont macabres. Aux États-Unis, des centaines de sectes illicites recrutent de nouveaux adeptes, la plupart du temps des jeunes, à chaque année. Ces clans incitent leurs membres à adorer le démon ou à exterminer une race ou un peuple. À l'intérieur de ces groupes, les jeunes peuvent alors se mettre en valeur en faisant des gestes barbares. Leur manque de maturité, leur goût du risque et leur inexpérience les font plonger facilement dans ces sectes. Il ne faut pas croire que ces regroupements n'existent qu'aux États-Unis. Au Canada, des coteries de ce genre fonctionnent secrètement en raison de leur idéologie.

Si vous ne voulez pas que vos jeunes adhèrent à ces mouvements, il faut leur indiquer où résident les vraies valeurs. Vous devez leur témoigner votre amour et prendre le temps de vivre avec eux. Ils ne sont pas si exigeants que vous le croyez. Ils demandent à être entendus et à être encouragés dans leurs projets. Ils ont des idées plein la tête et peuvent apporter quelque chose de bien à la société. Si on les écoutait au lieu de les critiquer et de les juger, on obtiendrait sûrement des résultats positifs. Je travaille souvent avec les jeunes et je peux vous dire qu'ils sont surprenants. S'ils n'étaient pas freinés par les adultes, la société évoluerait différemment.

Le monde dans lequel nous vivons est donc paradoxal. On veut un monde d'amour et de paix mais on est égocentrique. Les gens recherchent le respect mais ils ne l'enseignent pas aux leurs. Ils désirent une société spirituelle mais ils ne veulent pas troquer leurs biens matériels. Avoir de plus en plus et faire de moins en moins. Juste pour vous montrer l'attitude que nous adoptons généralement, une compagnie qui voulait se sortir de difficultés financières avait décidé de réduire les moyens de production qu'elle offrait à ses employés et, par la même occasion, leur demandait de prendre les bouchées doubles pour une certaine période. Pour bien se faire comprendre et pour que les employés n'oublient pas le sens dans lequel l'entreprise allait, la devise qui leur avait été présentée était : «EN FAIRE PLUS AVEC MOINS».

Malheureusement, les employés ont compris à leur avantage cette devise et voulaient faire plus d'argent avec moins de travail! Ce n'est pas facile de vivre dans une société où chaque personne ne pense qu'à son petit bien personnel. Le comportement de l'être humain le mène à sa perte. L'attitude adoptée dans l'exemple précédent se retrouve fréquemment lors de problèmes de grèves. Les syndiqués demandent de plus gros salaires, la compagnie ne peut pas se le permettre et les employés font la grève. Plusieurs semaines se passent sans aucun règlement et les comptes arrivent sur le bureau de la compagnie. Comme elle n'a plus la possibilité de faire face à ses responsabilités, l'entreprise se voit dans l'obligation de fermer ses portes. Les patrons comme les employés se retrouvent alors dans la même situation et tout le monde est sans travail.

La rémission n'est certe pas pour demain! La majorité des êtres humains ont un long bout de chemin à faire avant de vivre le paradis. Par contre, il est possible pour chacun de nous de changer une partie de ce monde. Chaque effort fait en ce sens ne peut qu'améliorer le sort de l'homme. Il suffit de vouloir et d'y mettre des efforts. Peut-on véritablement vivre un paradis terrestre? Vous seul possédez la réponse. Si je vous demandais s'il est possible de vivre l'enfer sur la terre que répondriez-vous? La réponse est la même. Il n'y a que votre attitude qui vous dirigera dans la bonne voie.

Depuis les premières pages de ce livre, je vous parle de l'enfer et de ce qui nous y amène. L'alcoolisme, la toxicomanie et les MTS ne sont que des exemples. Vous devez vous rappeler que l'enfer dont je parle est celui que vous imaginez, peu importe votre perception. Lorsque je parle du paradis, il en va de même. Nous estimons tous y entrer un jour et nous avons chacun notre impression à ce sujet. J'entends malheureusement des gens dire que l'enfer, c'est ce que nous vivons sur la terre. Comme vous pouvez le constater, tous sont en droit d'avoir leur interprétation.

Personnellement, je ne crois pas que l'enfer soit uniquement ici. Selon moi, l'enfer n'est pas un lieu mais un état. Celui qui abîme sa vie terrestre en maltraitant son corps, s'impose lui-même l'enfer. La drogue, qui fait tant souffrir, est en soi un exemple. Le cri d'alarme lancé par le toxicomane est fort. Il étale sur la place publique qu'il a de profonds problèmes affectifs. Toujours incompris et incapable de s'exprimer ouvertement, il consomme davantage pour fuir cet enfer. Inconsciemment, il plonge dans un autre monde qui est beaucoup plus infernal. Comme aux yeux des gens un «drogué» c'est visible, ils le reconnaissent plus facilement que lorsqu'il avait son problème affectif. Alors là, on lui met un «chapeau» et on est heureux. C'est plus facile de traiter un drogué que de traiter un être humain qui a des problèmes affectifs. Qu'une personne manque d'amour ce n'est pas grave, mais qu'elle se pique...

Tout est une question d'interprétation. Il s'agit toujours de la même personne, avec le même problème mais elle est traitée différemment. La société devra arrêter de mettre des pansements sur les plaies et soigner le mal à son origine. Le paradis sur la terre c'est *possible* mais il faudra y mettre des efforts. L'attitude est la seule façon d'arriver à la rémission.

Bienvenue au paradis!

C'est avec la motivation de réaliser des choses que les gens pourront atteindre ce que j'appelle le paradis. La vie, c'est avant tout une question d'attitude. Il y a des gens qui la trouvent dure et d'autres merveilleuse. Le secret de ce phénomène réside dans le comportement que l'on adopte vis-à-vis des événements. J'ai rencontré des gens qui trouvent des problèmes dans toutes les situations. J'ai également vu des personnes découvrir des occasions dans des problèmes. Qui du premier groupe ou du second avait raison?

Selon l'endroit où l'on se place, l'aspect des choses change continuellement. Au début de ce livre, je vous parlais du corps physique et de l'âme. Je crois qu'il est important de revenir sur le sujet. Si j'ai analysé les phénomènes reliés à la drogue, à l'alcool et aux différentes maladies, c'est que je voulais démontrer que ces problèmes avaient tous des manifestations *physiques* méprisées. Ce que l'on oublie de réaliser, c'est que la cause de ces problèmes est spirituelle. Le manque d'amour est à l'origine de tous les comportements antisociaux de l'être humain. Ainsi, nous ne pouvons pas tous voir la vie de la même manière relativement à nos expériences vécues.

Je tiens, dans les prochaines pages, à vous donner des outils pour vous aider à réussir votre vie. J'ai bien dit «votre vie» et non pas «dans la vie». La différence entre réussir sa vie et réussir dans la vie est majeure. Celui qui réussit dans la vie le fait à la vue de tous et souvent pour être bien vu de ses proches. Il en retire une satisfaction égocentrique. À l'intérieur de lui, sa vie est terne et n'a aucun sens. Ce qu'il fait, il le fait pour l'extérieur. Bien des gens qui réussissent dans la vie portent des masques car ils sont tristes et ne veulent pas montrer cette faiblesse aux autres. Arrivés à un certain niveau, ils ne peuvent plus reculer et se sentent de plus en plus prisonniers. Ils voient des gens heureux autour d'eux, des gens qui aiment ce qu'ils font, ce qu'ils sont et ceux qui les entourent. Ceux qui réussissent dans la vie voudraient changer de place mais ils en sont incapables.

D'autre part, celui qui réussit sa vie nage dans le bonheur. Il se laisse guider par ses instincts et ses sentiments. Il aime ce qu'il fait mais surtout, il fait ce qu'il aime. Il est vrai et aime les gens qui l'entourent. Ce gagnant a toujours des projets et jubile à l'idée de les partager avec les autres. Il a une attitude positive face aux événements et analyse calmement un problème. Il ne court pas après l'argent car ce n'est pas pour lui un signe de réussite. Il en veut comme tout le monde mais la quantité n'est pas un critère de bonheur.

De ce fait, je veux vous amener à réussir votre vie. Ne croyez pas que cela se fait du jour au lendemain. C'est un processus et, comme tout processus, ça demande du temps et surtout de la volonté. Comme on a tous vécu des expériences différentes, les démarches pour arriver à réussir sa vie seront, selon la personne, plus ou moins difficiles. Les valeurs spirituelles sont celles sur lesquelles nous devrons travailler le plus. La réussite de sa vie, c'est l'unique clé requise pour débarrer la porte qui nous mène au bonheur et, par conséquent, celle du paradis.

Un ami pour qui j'ai beaucoup de respect m'a fait sourire lorsqu'il m'a conté cette aventure. Alors qu'il débarquait de sa voiture, une Porsche, un homme l'a interpellé pour le féliciter de son acquisition. À la fin de la conversation, l'homme lui dit : «Toi t'es chanceux de pouvoir te payer une voiture comme ca. Je me demande comment tu fais pour être aussi chanceux?» Mon ami Jean-Marie, qui est d'une modestie exemplaire rétorqua : «C'est drôle mais... plus je travaille, plus je suis chanceux.»

Le premier pas vers la réussite, c'est le travail. L'intérêt que l'on met à vouloir bâtir quelque chose et faire avancer un projet doit venir du fond du coeur. Ça ne doit pas être un prétexte à recevoir des compliments de tous. Il est capital de faire un travail que l'on aime et où on se sent utile. L'ampleur de la tâche que vous devez accomplir n'est pas dans sa popularité aux yeux des autres mais dans l'énergie que vous y mettez. Vous devez aimer ce que vous faites et travailler pour réussir.

Mon ami Jean avait bien raison lorsqu'il disait que plus il travaillait, plus il était chanceux. La chance n'a pas une grosse part à jouer dans la réussite. Il est évident que plus vous prenez de chances, plus vous avez de chances d'arriver à vos fins. Par contre, plus vous travaillez, plus vous êtes récompensés. Je dis souvent qu'on n'a pas plus que ce que l'on veut avoir. Je sais que ça fait réagir bien des gens mais jamais ceux qui réussissent! Ça prend de la volonté et des efforts pour réussir et tous ne sont pas prêts à en mettre. Si vous travaillez constamment pour obtenir ce que vous voulez, vous y arriverez. Rappelez-vous la volonté que vous aviez lorsque vous avez commencé à marcher.

Bien des gens se plaignent qu'ils n'ont jamais eu ce qu'ils voulaient. Avaient-ils vraiment défini leurs buts? Pour que la vie nous accorde des faveurs, il faut définir ce que nous voulons. Vous devez vous fixer des buts. Quand je dis fixer, j'emploie ce mot dans son sens propre, c'est-à-dire comme on fixe un cadre. Lorsque vous fixez quelque chose à un mur, vous le voyez. C'est la même chose pour les buts que vous voulez atteindre. Vous devez les écrire partout pour les voir aussi souvent que possible. Dans votre agenda, sur un papier qui restera sur votre bureau et même sur le coffre à gants de votre voiture. Ainsi, ils seront gravés dans votre mémoire.

La deuxième étape est de se fixer des échéances. Dans le même sens, vous devez définir quand vous commencez à poursuivre votre but et quand vous comptez l'atteindre. Vous devez, ici, être réaliste. Si votre période de travail pour atteindre un but est trop courte, cela n'aura pour effet que de vous décourager. Un laps de temps raisonnable permettra de voir l'évolution et les progrès que vous ferez. L'importance de se fixer des échéances est reliée au fait que la motivation se crée par la possibilité d'accéder au résultat. Peu importe les buts que vous voudrez atteindre, vous devrez fonctionner de cette façon. Pour maigrir, par exemple, une personne doit établir combien de kilos elle veut perdre, donc elle doit fixer son but. Ensuite, elle doit déterminer en combien de temps elle veut les perdre, donc se fixer des échéances. Pour tous vos projets d'avenir, fonctionnez de cette manière et vous y arriverez. Il va sans dire que vous devrez y mettre des efforts.

La dernière chose à faire pour être sûr d'atteindre son but, c'est d'élaborer un plan. Comment des ouvriers peuvent-ils construire une maison s'ils n'ont pas de plan? Vous devez donc définir ce que vous devez faire pour accéder à la réussite et sélectionner les gens qui devront vous entourer. Le plus bel exemple de l'importance d'avoir un plan lorsqu'on veut réussir, c'est la comparaison entre le patinage artistique et le hockey. Bien que ces deux compétitions se passent sur la glace, l'une d'elles est désarmante. Tout comme les patineurs artistiques, les hockeyeurs portent un costume, se sont entraînés intensivement et sont dirigés pour accomplir une tâche presque parfaite. En patinage artistique, lorsque la musique commence, les artistes vont dans le même sens et exécutent des figures bien établies. Par contre, au hockey, malgré la complexité des préparatifs, dès que la rondelle est mise en jeu, les joueurs partent dans tous les sens et vont où ils veulent sans se préoccuper des règles établies.

Rien ne vaut un bon plan pour réussir. Si vous travaillez quotidiennement à l'atteinte de vos buts, vous réussirez. Vous avez sûrement déjà dit d'une personne qu'elle a réussi sa vie mais sans jamais réaliser ce qui vous donnait cette impression. Pour réussir sa vie, il faut d'abord réussir ses années; pour réussir une année, il faut réussir ses mois; pour réussir un mois, il faut réussir ses semaines; pour réussir une semaine, il faut réussir ses journées; pour réussir une journée, il faut réussir ses heures. De ce fait, chaque minute est importante dans la réalisation d'une vie réussie. Vivez pleinement et accomplissez des choses positives pour vous et les vôtres. Ayez toujours un but, c'est le secret du succès.

Afin de vous prouver jusqu'à quel point il est important de se fixer des buts dans la vie, laissez-moi vous conter ceci : Imaginez-vous lors des séries éliminatoires de la coupe Stanley. Nous sommes en finale et c'est une série quatre de sept. Chaque équipe a remporté trois victoires et nous en sommes à la dernière partie. Pire encore, les trois périodes réglementaires sont terminées et le compte est égal trois à trois. Dans la chambre des joueurs, les hockeyeurs sont excités et fiers de leurs performances. L'entraîneur fait son entrée et les joueurs lui disent : «Avez-vous vu le travail qu'on fait, c'est terrible. On les arrête à la ligne bleue et rien ne passe, on patine à toute allure.» L'entraîneur regarde les joueurs et ajoute : «Ça ne donne rien de travailler comme des forcénés et se faire acclamer par le public. Si vous voulez gagner, ça vous prend *une chose de plus* que l'adversaire mais ça vous la prend. Ça vous prend *un but.*

Dans la vie, c'est la même chose, pour réussir, ça prend un but. Le but est la motivation principale de l'être humain. Sans lui, la vie serait terne et sans éclat. Un récent sondage démontrait que

97 % des gens ne se fixaient pas de but à court, à moyen et à long terme. Ce qui veut dire, pour simplifier le calcul, que seulement trois personnes sur cent savent vraiment où elles vont. Ce n'est pas beaucoup. Il n'est pas surprenant de voir tant de gens démoralisés qui ont l'air abattu. Comme je le dis souvent, si vous n'imposez pas vos conditions à la vie, vous devez accepter qu'elle vous impose les siennes.

Le deuxième pas vers la réussite, c'est le temps. Combien de fois avez-vous entendu : «Je n'ai pas le temps... J'irais bien mais je n'ai pas le temps... J'aimerais bien ça mais, malheureusement, je n'ai pas le temps.» Dans notre siècle de performance on se heurte tous, à un certain moment, au temps. Mais, en réalité, ce qui nous empêche de faire des choses, ce n'est pas le manque de temps mais plutôt le manque d'organisation. Croyez-moi, pour avoir enseigné la gestion du temps à des cadres d'entreprise, l'organisation crée le temps.

Qui peut honnêtement dire qu'il prend de cinq à dix minutes chaque matin pour planifier sa journée? Je ne veux pas simplement parler du temps alloué pour le travail, mais aussi de celui que l'on s'accorde. Si vous avez des objectifs personnels et que vous n'accomplissez rien dans une journée pour les atteindre, ne vous plaignez pas que rien ne marche pour vous et que vous n'avez pas de chance. Rappelez-vous qu'une vie réussie commence avec des heures réussies. Prenez du temps chaque jour pour votre vie personnelle. Imposez-vous cette discipline, c'est la plus belle récompense que vous puissiez vous donner.

Une personne organisée est une personne qui réussira. Les meilleurs vendeurs ou les meilleures directrices d'entreprise sont ceux qui savent employer leur temps au maximum. Ils ne perdent jamais une minute. Lorsqu'ils prennent l'avion, ils apportent de la lecture, des documents à compléter ou se perfectionnent en étudiant ou en écoutant des cassettes spécifiquement conçues. Dans les salles d'attente, ils lisent de la documentation sur l'entreprise qu'ils visitent afin d'avoir de meilleures connaissances. Ces détails sur leur emploi du temps font toute la différence entre passer proche et *réussir*.

C'est facile à dire d'y mettre de la patience, du courage et beaucoup de temps mais ce n'est pas aussi facile à faire. Nous sommes dans un monde où la vitesse est maîtresse et où il est normal de faire les choses rapidement. Mais sommes-nous vraiment efficaces avec notre rapidité? Le four à micro-ondes a remplacé le four conventionnel qui, lui, avait remplacé le four à bois. Malgré cela, il y a un bon point au succès. Il ne vient qu'avec le temps. On ne peut sauter d'étapes et croire atteindre le succès. À moins qu'un jour quelqu'un invente le succès à micro-ondes!

Comme la réussite vient avec la persévérance et le temps, bien des gens abandonnent rapidement. Ils se fixent des buts et, ne voyant aucun résultat à court terme, ils se découragent. Ils sont nombreux à agir de la sorte. La plupart des êtres humains abandonnent leurs buts dès qu'ils rencontrent un premier obstacle. Il n'est pas surprenant de voir autant de projets achopper. Au début de la première partie de ce livre, je vous parlais de l'impact de l'enfance sur notre vie actuelle. Dans le présent cas, c'est l'éducation qui en est responsable.

Cette impatience prend sa source à deux endroits. Premièrement, c'est le résultat d'une enfance de surprotection. Les parents qui couvent abusivement leurs enfants développent chez ces derniers un sentiment d'insécurité. Lorsque les parents essaient de tout faire à la place de l'enfant, leurs gestes sont interprétés comme un manque de confiance à son endroit. Ils agissent subliminalement sur l'attitude de l'enfant qui se fiera toujours à ses parents pour régler ses problèmes. L'enfant grandit et a de la difficulté à agir par lui-même. Quand il le fait et que ça ne fonctionne pas instantanément, il lâche tout.

La deuxième raison pour laquelle une personne peut être impatiente, c'est la rapidité avec laquelle son père ou sa mère répondait à ses cris lorsqu'elle était enfant. Plusieurs parents s'empressent de réagir à chaque cri ou pleur qu'un bébé pousse. De ce fait, l'enfant sait qu'il n'a qu'à crier pour avoir du service. Toutefois, la vie ce n'est pas aussi simple et parfois, même en criant, on n'a pas ce que l'on veut. Alors, quand ces personnes se fixent un objectif et que ça ne marche pas du premier coup, elles balancent tout en l'air et continuent à se plaindre.

Retournez toujours à la base pour connaître le succès, c'est-à-dire, regardez comment l'enfant est arrivé à marcher. Il s'est levé et est tombé mais il n'a pas abandonné. Il s'est relevé et a persévéré. Il avait un but et il désirait l'atteindre plus que jamais. Vous devez analyser vos succès si vous désirez développer une méthode pour y arriver plus facilement. Même si vous vous êtes senti visé lorsque je parlais des gens qui laissent tout tomber dès le premier obstacle, dites-vous que la patience est une qualité qui se développe et que si vous avez la volonté de réussir, vous trouverez également la patience qui s'y rattache

Lorsque vous entreprendrez votre route vers la réussite, vous observerez que plusieurs personnes tenteront de vous mettre des bâtons dans les roues ou ne vous donneront tout simplement pas l'appui auquel vous vous attendiez. Ne soyez pas surpris et retenez toujours ceci : *«Personne n'est aussi intéressé à votre succès que vous-même.»* Vous devrez vous battre tous les jours afin d'obtenir ce que vous désirez, que ce soit un rendez-vous, une entrevue ou un service auquel vous avez droit et pour lequel vous avez payé.

Tout le monde fait sa petite vie et se soucie peu de l'intérêt du voisin. Par le fait même, préparez-vous à vous battre non seulement contre les autres mais aussi contre vous-même. Si vous luttez contre les autres et que vous gagnez constamment, comment pourrez-vous vous surpasser? Nous n'avons aucune preuve à faire, face aux êtres humains. Ceux qui sont compétitifs et se vantent des exploits qu'ils ont accomplis essaient par ce moyen de se donner une certaine valeur. Cette valeur, ils y croient et c'est sur elle qu'ils basent leur vie. Encore une fois, c'est le cirque du «ce que les *autres* pensent et ce que les *autres* vont dire». Ils s'imaginent que vous allez les admirer davantage s'ils agissent ainsi. Je connais beaucoup de personnes qui sont dans cette situation et je trouve ça malheureux car elles ont un énorme potentiel et bien d'autres choses à offrir. En se valorisant de la sorte, elles tentent de vous faire développer un sentiment d'infériorité.

La récompense

C'est pour une bien bonne raison que j'ai choisi d'appeler ce chapitre LA RÉCOMPENSE. Si on décortique bien le mot, on s'aperçoit qu'il est composé de deux éléments. Le premier qui est «ré», ce qui veut dire *à nouveau*, et le second est «compenser» dont la racine latine est *pensare* qui veut dire peser. Donc, le véritable sens est «pesé à nouveau». Ainsi, la récompense est une justice faite à tous, afin de créer une égalité entre deux forces. Les efforts faits sur cette terre sont infailliblement récompensés. Vous ne devez pas croire que chaque chose que vous ferez vous sera remise immédiatement mais elle pourrait vous être rendue ultérieurement dans un monde dont vous ne connaissez actuellement pas l'existence.

Chaque génération nous amène un type bien particulier de gens. Vous vous rappelez sans doute les hippies qui ont connu leur part de popularité dans les années 60. Il y a quelques années, c'était au tour des yuppies et des prepies de se faire valoir. Mais depuis longtemps, très très longtemps, il existe une catégorie de gens dont on ne parle jamais et que j'ai surnommés les «Hassi». Vous devez vous demander qui sont ces gens? Ils se plaignent constamment et ne font rien pour s'en sortir. Ils essaient de faire croire aux autres qu'ils n'ont pas de chance mais lorsqu'elle se présente ils la laisse passer. Ainsi, ils ont créé leur nom par leur légendaire : «Ha! si j'avais...» Depuis, on les entend partout. Ha! si j'avais de l'argent; si vous leur en donnez, ils trouveront une autre excuse. Ha! si j'avais plus de temps; s'ils en trouvent ils auront encore une autre excuse. Ha! si j'avais ton talent; ils ne font rien pour développer le leur.

La récompense va et ira toujours à ceux qui ont la volonté de réussir et nous avons tous le potentiel pour cela. Nous sommes en grande partie responsables de ce qui nous arrive. Nous devons mettre le maximum de chances de notre côté si nous voulons réussir notre vie. Comme nous savons que nous serons confrontés à des situations hors de notre contrôle, nous devons imposer notre rythme à chaque fois que c'est possible. Il faut cesser de se plaindre et de dire «ha! si» ou bien «oui, mais» et relever ses manches.

Vous devez également travailler à réaliser vos objectifs et ne pas vous laisser influencer par ceux qui se comparent car aucun être humain n'a le droit de vous évaluer. Vous trouverez aussi avantage à lutter contre vous-même tous les jours puisque vous serez la première personne à juger de vos améliorations. La satisfaction personnelle sera beaucoup plus grande que celle obtenue par comparaison avec autrui. Chaque personne est ici pour grandir spirituellement. Cette évolution est bien personnelle et ne peut être comparée.

Comme la récompense est le cadeau ultime, regardez autour de vous tout ce que vous avez. Tous les objets que vous possédez ont été désirés. Peu importe qu'ils soient utiles ou non, qu'ils soient décoratifs ou fonctionnels, vous y avez rêvé pendant des jours, des semaines, des mois et peut-être même des années. Le désir d'obtenir des choses plus grandes fonctionne de la même manière. On a un projet, on en fait un objectif, on se fixe des échéances, on élabore sa stratégie et le tour est joué. On s'imagine toujours que c'est différent lorsqu'il s'agit d'un plus gros projet mais la formule est la même.

Dans le même sens, ce que nous obtenons de la vie se veut le reflet de nos intentions et de notre volonté. Celui ou celle qui envie son prochain pour tout ce qu'il possède peut-il (elle) vraiment avouer qu'il (elle) a fait tous les efforts possibles pour avoir autant de choses? Dans la vie, on n'a rien pour rien. Tout se mérite et tout se gagne avec des efforts. La personne qui possède une entreprise grandissante doit faire des efforts pour conserver cette montée. Il n'y a pas de chance ou de hasard, mais seulement du travail finalement récompensé.

Je consacre depuis plusieurs années une partie de mon temps à observer les *«gagnants»*, c'est-à-dire les personnes désireuses d'atteindre un but bien défini. De la présidente d'un conseil étudiant au P.-D.G. d'une multinationale, j'ai noté une attitude constante que tous ces gens ont en commun. Ils ont un ardent désir de vaincre et sont menés par une pensée dominante quotidienne : *la victoire*. Tous savaient qu'un jour ils réussiraient. Ils se voyaient à la tête de leur entreprise ou présider un comité important. Ils y croyaient. Ils savaient que le travail qu'ils avaient fait serait un jour récompensé.

Les gagnants ne perdent pas d'énergie à craindre de faux problèmes. Ils canalisent plutôt cette force pour atteindre leurs objectifs. Lorsque se présentent de vrais problèmes, ils ne reculent pas et démontrent ainsi leur habileté à redresser des situations. L'attitude que vous adoptez face à un événement révèle la volonté que vous avez de réussir. D'ailleurs, une étude réalisée aux États-Unis a démontré que 85 % de la réussite et des promotions obtenues étaient liées à notre *attitude*.

Ceci veut donc dire que «l'aptitude» compte pour seulement 15 %. Ceci explique la frustration de plusieurs employés qui se demandent pourquoi ce sont les autres qui ont les promotions et pas eux. C'est ainsi qu'on trace une ligne entre le potentiel nécessaire pour réussir et la volonté profonde. L'attitude que vous adoptez est bien plus importante que ce que vous savez car, comme je le dis au cours de mes conférences : «Ce que l'on sait n'a aucune importance, c'est ce qu'on en fait qui compte.» Je connais d'excellents musiciens qui débordent de connaissances et qui ne travaillent pas. Je connais des universitaires diplômés qui maîtrisent leur science et qui sont des chômeurs! Rien ne vaut la volonté et l'attitude. Et, pour appuyer cette affirmation, voici l'histoire de deux hommes qui, par leur attitude, ont changé le cours de leur vie.

La première histoire est véridique, seul le nom de la personne en cause a été changé. Monsieur «Gagné» est un employé modèle ayant une rémunération annuelle d'environ 30 000 $. Il apprend que la compagnie pour laquelle il travaille fermera ses portes en raison de difficultés financières. Le même soir, son fils, alors étudiant dans une institution d'enseignement secondaire, lui demande un moyen rapide et efficace pour financer les futures activités scolaires. Monsieur Gagné n'a aucune idée spécifique en tête mais, comme la nuit porte conseil, il se réveille avec ce qu'il croit être la solution. Il entre en contact avec une compagnie de fabrication de T-shirts afin d'en connaître les coûts puis il se renseigne sur le processus d'impression en sérigraphie.

Après avoir compilé ses données, il en fait part à son fils. Quatre cents T-shirts sont alors imprimés et vendus en moins de trois jours. Devant l'intérêt pour les jeunes d'utiliser ce moyen de financement, monsieur Gagné fonde alors sa propre entreprise et voit son salaire majoré considérablement. Après les écoles, c'est au tour des équipes de hockey, de baseball, de football et de nombreux autres clubs sociaux de faire appel à ses services. La perte de son emploi a forcé monsieur Gagné à agir. Il a utilisé son potentiel et a su trouver une chance dans un problème.

Le deuxième cas est tout aussi vrai et il s'agit cette fois de Monsieur Raté. Encore une fois, j'emploie ici un nom fictif. Un jour, monsieur Raté se fait offrir un voyage dans le Sud par ses enfants. Alors qu'il aurait pu réaliser un rêve de longue date, il refuse, prétextant qu'il se produisait trop de catastrophes aériennes. Il ajoute qu'il n'a pas les moyens de se payer les excursions organisées et qu'il devra donc rester sur la plage. Comme il prend de l'âge, il n'a pas intérêt à s'allonger sur les plages. Il poursuit en disant qu'il n'y aura personne pour garder la maison pendant son absence. En résumé, l'occasion qui se présentait à lui était un véritable problème.

Je suis sûr que vous avez reconnu bien des personnes dans ces deux histoires. Nous en connaissons tous. Les gens à l'image de monsieur Raté perdent de magnifiques occasions dans la vie. C'est à ces personnes que rien n'arrive. Ils se retrouvent souvent seuls ou avec des gens comme eux. Les gagnants ne veulent pas s'associer à eux. Encore une fois, l'attitude a fait toute la différence.

La pensée positive est une attitude, c'est un mode de vie. Être positif, ça ne veut pas dire être dupe. Bien des gens croient que les personnes positives voient toujours la vie en rose et que, grâce à leurs pensées, rien ne leur arrivera. Ce n'est pas tout à fait ça. On peut être capable de surmonter des problèmes et demeurer heureux. Notre état dépend de la façon dont nous envisageons la vie. Si vous voulez perdre votre vie à crier contre le système, c'est votre droit. Par ailleurs, si vous voulez agir pour améliorer le système, c'est aussi votre droit.

L'attitude, c'est comme une habitude, ça se développe. Au même titre que vous cultivez une bonne ou une mauvaise habitude, vous pouvez aussi cultiver une bonne ou une mauvaise attitude. Des études sur le comportement ont démontré qu'il fallait vingt et un jours pour développer une habitude. Peu importe quelle soit bonne ou mauvaise, le nombre de jours demeure le même. L'attitude peut changer de la même façon. La volonté reste le secret pour arriver à ses fins.

La récompense ira à ceux et celles qui travailleront pour atteindre leurs buts. L'évolution de ces gagnants sera soulignée. La gratification sera grande pour ceux qui auront adopté une bonne attitude. Si l'enfer attend ceux qui agissent contre la nature, le paradis accueille ceux qui la respectent.

Se motiver pour l'avenir

Comme ma carrière consiste à motiver des équipes de travail, des étudiants et des membres d'associations, je veux attirer votre attention sur l'importance de la motivation dans la vie de tous les jours. Plusieurs croient qu'elle est utile lorsqu'ils manquent d'intérêt pour certaines activités bien particulières. Toutefois, la motivation est omniprésente et doit être réanimée tous les jours. J'aime bien la comparaison entre l'hygiène et la motivation. Ce n'est pas parce que vous vous lavez une journée que vous n'avez plus à le refaire avant l'année suivante. Il en va de même pour la motivation.

Ce n'est pas un simple «show» qui va vous donner les réponses absolues. Il faut poursuivre les démarches entreprises. Les expériences effectuées à cet effet ont donné d'excellents résultats. Les équipes de travail qui tenaient régulièrement des sessions de motivation ont amélioré leur rendement. Tout comme l'acquisition d'une habitude se fait en vingt et un jours, la motivation se développe à l'intérieur d'une certaine période de temps. Dans le cas présent, ce que je veux dire par motivation, c'est la reconquête de l'intérêt pour accomplir son travail. Des dizaines d'employeurs font appel à mes services chaque année afin de redonner à leur personnel le souffle dont il a besoin. Comme la plupart des employés sont en place depuis plusieurs années, leur motivation a bien diminué. Mais pourquoi?

Pour ceux qui sont sur le marché du travail, il est facile de se rappeler la journée où ils ont été embauchés, la performance effectuée lors de l'entrevue, l'anxiété à attendre l'acceptation de leur candidature. Tous ces moments d'espoir leur ont donné la passion d'accomplir le travail qu'ils postulaient. Et puis, on les appelle et on confirme qu'ils sont retenus. C'est l'euphorie et c'est la joie totale. Ils ne peuvent s'empêcher de faire courir la nouvelle et ils téléphonent à tous leurs parents et amis. Rien n'est plus important que ce qui leur arrive.

Vous venez de décrocher votre premier emploi. Votre vie va changer et tous les projets que vous caressiez depuis des années pourront enfin se réaliser. Vous faites maintenant partie des ligues majeures et vous arrivez dans un autre monde. Vous ne vous sentez plus la même personne. Votre comportement change et votre niveau de confiance remonte radicalement. La sélection de votre candidature vous rassure sur vos possibilités et vous donne la preuve que vous avez un potentiel compétitif. Même si vous fonciez tête première dans le monde du travail, vos doutes sommeillaient toujours au fond de votre subconscient.

Enfin, arrive cette fameuse journée, celle que vous attendiez avec impatience. Vous arrivez les mains froides, le cœur palpitant et vous ne voulez rien oublier des consignes qu'on vous indiquera. Votre nervosité a raison du calme dont vous avez besoin pour retenir les plus petits détails. On vous présente à tout le personnel. Vous souriez, dites bonjour et ne retenez aucun nom. Finalement, à bout de nerfs, votre mémoire ne pouvant plus emmagasiner de renseignements, vous sortez un crayon et une feuille et vous prenez des notes. Cette première journée, qui devait être exceptionnelle se transforme en un véritable fouillis.

Le soir, lorsque vous revenez à la maison, le stress fait place à un mal de tête insoutenable. «Qu'est-ce que je vais faire? Je ne me rappellerai jamais tout ce qu'ils m'ont appris.» Voilà que votre désarroi refait surface. Votre confiance vient de retourner à la case départ et vous n'êtes plus sûr d'être la bonne personne pour ce poste. Puis, après avoir bien réfléchi, vous vous redonnez une autre chance en vous disant que peut-être ça ira mieux demain.

Journée numéro deux. La matière entre davantage et le niveau de nervosité est presque normal. Vous êtes déjà plus familier avec l'endroit. Comme un animal en forêt, votre territoire étant délimité, vous vous sentez rassuré. La peur de l'inconnu a diminué et la confiance d'accomplir de grandes choses a augmenté. Le travail vous paraît excitant et vous redevenez captivé par le défi.

Vos premières paies arrivent et, en regardant le montant, vous réalisez qu'une partie de vos rêves vient de s'écrouler. La voiture luxueuse, la maison, le chalet, le bateau et les voyages sont encore loin de la réalité. Votre ambition devient un peu plus modeste. «La petite voiture et un 4 1/2 suffiront pour le moment; plus tard, on verra! Je vais sûrement avoir droit à des promotions et je me procurerai ce que je veux après. Pour le moment, j'aime mon travail.»

Ainsi, sur une échelle de un à cent, votre taux de motivation vient de perdre vingt-cinq points, ce qui est le plus haut taux alloué aux facteurs de motivation. Cette affirmation est basée sur une recherche que j'ai effectuée sur les principaux agents de motivation. Lors de celle-ci, j'ai répertorié quatorze facteurs auxquels j'ai ensuite attribué des points selon l'importance qu'ils avaient. Si vous le désirez, vous pouvez jouer le jeu et connaître le taux de motivation que vous possédez face à votre travail.

Prenez un crayon et un papier, lisez chaque facteur de motivation et notez les points que vous accumulez. Chaque fois que votre travail répond à une condition énoncée, vous inscrivez les points. Par contre, si le facteur n'est pas respecté, vous n'avez aucun point.

FACTEUR No 1 : L'ARGENT (25 points)

Le premier facteur qui nous vient à l'esprit lorsqu'on parle de motivation est sans doute l'argent. La société de consommation dans laquelle nous vivons influence grandement notre intérêt pour lui. La sécurité économique constitue une part importante de la motivation que nous trouvons à poursuivre une carrière. De nos jours, le coût de la vie est si élevé que nous devons acquérir un salaire régulièrement. Cela n'empêche pas les gens de changer d'emploi. Saviez-vous qu'en moyenne une personne change d'emploi quatre fois dans sa vie?

La tradition veut qu'un employeur détermine le salaire de l'employé qu'il engage. Je veux attirer votre attention sur une situation que j'ai moi-même vécue et qui a largement changé mon attitude face à l'employeur. Lors d'une entrevue que j'avais relativement à un poste dans une entreprise multinationale, l'employeur m'a demandé quel était le salaire que je désirais annuellement. Ce fut toute une surprise. Mais après réflexions, je me suis rendu compte que son stratagème n'était pas si bête.

Si je disais un chiffre et que celui auquel il pensait était plus haut, il sortait gagnant en me rémunérant moins que prévu. Par ailleurs, si je dépassais ses prévisions, il pouvait me faire une autre offre. Toutes les chances étaient de son côté. S'il acceptait une demande supérieure au salaire qu'il avait défini, je marchais sur des oeufs. En effet, si j'ai surévalué mon potentiel et ne livre pas la marchandise, j'aurai à me justifier dans les semaines à venir. D'autre part, si je reçois un salaire intéressant et ne travaille pas en conséquence, j'aurai rapidement un sentiment de culpabilité. Encore une fois, l'employeur sort gagnant de cette stratégie.

FACTEUR No 2 : LA SÉCURITÉ ÉMOTIVE (5 points)

Dans le monde du travail, la sécurité émotive est le sentiment d'être apprécié à sa juste valeur en connaissant la véritable appréciation de ses supérieurs. Personne n'aime vivre dans l'incertitude. Combien de gens travaillent dans des bureaux ou des chaînes de montage sans jamais savoir si ce qu'ils font est apprécié? Ou ils n'ont jamais de compliments lorsque ça va bien mais ils le savent rapidement quand ils ont fait une erreur. Le climat de tension qui est créé devient insoutenable. Malgré l'importance du salaire, une personne souffrant de cette insécurité peut démissionner. Pour qu'un être humain fonctionne normalement, il a besoin de sécurité, ainsi il peut agir avec confiance.

FACTEUR No 3 : LA STABILITÉ D'EMPLOI (5 points)

Il y a encore peu de temps, nous parlions plutôt de la sécurité d'emploi. Qui peut dire que son emploi est assuré? Qui peut prouver que son poste ne sera jamais aboli? Même des joueurs de hockey qui ont remporté la coupe Stanley ont rétrogradé dans les ligues mineures. Des cadres de compagnies multinationales ont été destitués. Il est important de savoir que l'on conservera encore le poste qu'on occupe actuellement, notre équilibre psychologique y est intimement relié.

FACTEUR No 4 :
LES CONDITIONS DE TRAVAIL (15 points)

Il n'est pas rare de voir des grèves s'éterniser en raison d'achoppements sur des points ayant trait aux conditions de travail. On entend par conditions : les horaires, les congés, les vacances et les nombreux points relatifs aux dispositions professionnelles. Si ce facteur vaut 15 points à lui seul, c'est qu'il est présent tout au cours de notre semaine de travail. C'est lui qui détermine si on se sentira bien ou mal.

FACTEUR No 5 : LA RECONNAISSANCE (5 points)

Très près en définition de la sécurité émotive, la reconnaissance consiste à être récompensé et reconnu pour le travail et le coeur que l'on met à l'ouvrage. Il fut un temps où l'on disait que les compagnies n'avaient pas de coeur mais le système a évolué et les temps ont changé. Les Japonais révolutionnent actuellement le monde de l'industrie avec des techniques de gestion en ressources humaines qui se sont montrées très efficaces. Par exemple, la politique de «porte ouverte» pratiquée par certains patrons consiste à faciliter la communication avec les employés. Celui qui a des problèmes et qui veut en discuter peut le faire librement.

C'est un grand pas vers l'humanisation. Trop de dirigeants d'entreprise ont pensé qu'il fallait ordonner pour que le travail s'effectue efficacement. De nos jours, ce genre de chef d'entreprise ne fait pas long feu. La motivation par la peur est un bien piètre moyen d'arriver à ses buts. C'est pourquoi l'employé doit être reconnu et récompensé pour son travail. En psychologie, cette récompense s'appelle «renforcement». C'est-à-dire que les bons gestes que l'on fait sont récompensés, ce qui renforce notre volonté de toujours faire mieux.

Sur le marché du travail, un beau merci ou bien une tape dans le dos ne suffisent pas. L'employeur doit nous démontrer plus d'intérêt pour nos efforts. De ce fait, on ajoute des primes et des cadeaux de reconnaissance tels que des montres, des bagues ou des plaques. J'ai moi-même vécu une expérience de ce genre et c'est très revalorisant de recevoir un tel honneur.

FACTEUR No 6 : LA PROMOTION (10 points)

L'espoir d'occuper une fonction à un poste supérieur joue un rôle important dans l'intérêt que l'on porte à son emploi. Qui ne veut pas améliorer son sort? Peu de gens se voient confinés au même travail toute leur vie. Ceux qui subissent ce sort deviennent de plus en plus démotivés. Des études ont démontré que l'être humain ne peut occuper *efficacement* la même fonction plus de quatre ans. Par la suite, il doit être promu ou muté si on veut augmenter son potentiel et sa productivité. De ce fait, l'employé doit se concentrer davantage et ne tombe pas dans les habitudes et la routine.

FACTEUR No 7 : LA CONFIANCE (2,5 points)

Pour qu'une personne soit à l'aise avec nous, elle doit se sentir en confiance. Il en va de même dans nos relations professionnelles. Offrir à un employé l'occasion d'ajouter des tâches non traditionnelles à ses fonctions constitue une forme intéressante de motivation. Lorsque nous nous voyons conférer des responsabilités, notre estime est alors affectée positivement.

Si les entreprises encourageaient la diversification des tâches, on augmenterait par la même occasion le potentiel de chacun. Dans plusieurs cas, des cadres d'entreprise ne veulent pas confier de mandat à leurs subalternes, évoquant le fait qu'ils n'ont pas la compétence requise. Souvent ces frustrés ne regardent que les personnes qui ont des titres et ne se souviennent pas *d'où ils viennent*. La confiance est un agent de motivation influent, tant au niveau familial et social que professionnel.

FACTEUR No 8 : L'APPUI (5 points)

Pour ceux dont l'argent, les primes ou les soupers d'affaires ne peuvent être des sources de motivation, on recommande alors une étroite complicité entre employeurs et employés. Le sourire ou le petit «merci» peut parfois changer le cours d'une journée. Il n'est pas nécessaire de toujours avoir le bonbon à la main pour faire fonctionner un être humain. Le mot en lui-même le dit, il s'agit d'un être... humain. Le sentiment d'avoir l'appui et le support de ses collègues ou patrons fait en sorte qu'une personne développe un esprit d'équipe.

Encore une fois, permettez-moi de faire un parallèle avec le sport. L'esprit d'équipe qui anime certains clubs de hockey est souvent représenté comme un septième homme sur la glace. L'appui inconditionnel d'une personne à une autre augmente son niveau de motivation.

FACTEUR No 9 : LE RESPECT (5 points)

Au sens professionnel, le respect signifie l'utilisation raisonnable d'un employé. Ce dernier n'est pas une machine et, lorsqu'on lui en demande plus qu'il peut en donner, il craque sous la pression. Le langage dictatorial est aussi une forme d'arrogance envers le personnel. Les entreprises qui n'évaluent leurs employés que sur des chiffres les démotivent car ces derniers ne se sentent pas réellement appréciés.

Il est difficile d'être motivé lorsqu'on récompense simplement le *résultat* au détriment de *l'effort* Respecter un individu veut aussi dire que l'on comprend qu'il puisse faire des erreurs. Personne n'est parfait! Crier contre une personne qui vient de commettre une maladresse n'a jamais rien réglé. Respecter quelqu'un veut également dire être capable de le remercier lorsqu'il rend un service.

Le succès à travers le respect est bien simple. Vous n'avez qu'à traiter les autres de la même manière que vous aimeriez être traité. Personne n'aime se faire abaisser devant les autres. Personne n'aime se faire ridiculiser devant un groupe d'amis. Le respect, c'est aussi l'acceptation des limites des autres. Un employé qui se sent respecté gagne de l'intérêt pour son travail.

FACTEUR No 10 :

LE DÉVELOPPEMENT DU POTENTIEL (2,5 points)

Voici un élément que les Japonais ont compris depuis longtemps. Nous avons tous des talents, parfois cachés, que nous ne prenons pas le temps de développer. Celui qui veut réussir devrait s'asseoir, prendre un crayon et une feuille et dresser la liste de ses qualités et talents. Il devrait par la suite analyser objectivement si ses talents sont développés au maximum. De ce fait, il aurait une vision claire de ceux qu'il devrait développer.

Les Orientaux favorisent cette approche puisqu'elle facilite le cheminement vers de plus hauts standards de qualité. Un employeur sérieux devrait connaître les antécédents d'une personne avant de l'embaucher. Il devrait savoir ce que l'employé peut faire, connaître ses possibilités, ses talents et ses réalisations antérieures. De ce fait, il pourrait le diriger vers des fonctions qui rapporteraient à la fois à l'employé et à l'employeur.

FACTEUR No 11 : LE DÉPASSEMENT (5 points)

Quand j'ai commencé à répertorier les éléments de motivation qui nous tenaient à notre travail et que j'ai fait mon enquête afin de les identifier, j'ai été surpris de voir la forte proportion de gens qui ont mentionné retrouver un défi personnel dans leur emploi. Ces travailleurs se battent contre eux-mêmes à tous les jours. Ils trouvent la motivation dans leurs possibilités illimitées. Ces pouvoirs, ils les découvrent quotidiennement.

Le monde du sport est encore une fois un exemple pertinent pour bien illustrer le dépassement. Des hockeyeurs comme Mario Lemieux jouent pour améliorer leur propre fiche d'année en année. Aux Olympiques, plusieurs athlètes dépassent leurs propres records. Dans le monde des affaires, c'est la même chose. Des employés performent chaque jour afin de se prouver à eux-mêmes qu'ils peuvent faire plus et mieux. J'ai connu un représentant qui venait d'être embauché par une entreprise et dès le quatrième mois il dépassait tous les records de ventes de ses collègues. Sans connaître les cibles visées par les autres représentants, il s'était fixé des objectifs qu'il a atteints et qui étaient supérieurs à ceux que s'étaient fixés ses confrères.

FACTEUR No 12 : L'IMAGE (5 points)

Si j'ai été surpris du nombre de personnes disant qu'elles effectuaient leur travail par dépassement personnel, laissez-moi vous dire que j'ai été sidéré d'apprendre combien de gens occupent leur emploi strictement pour l'image. Être reconnu comme étant un avocat, un gérant, un cadre, un athlète ou un professionnel quelconque constitue un statut flatteur pour bien des gens. Le titre est agréable à «pousser» lors d'une conversation. Le travail qui s'y joint ne convient peut-être pas à nos aspirations mais que voulez-vous, on ne veut pas s'abaisser à faire quelque chose de moins valorisant. Ça fait bien! Par contre, comme je le mentionne lors de mes conférences, combien de gens travaillent de la sorte et perdent complètement leur vie? La position qu'ils occupent n'a d'intéressant que le titre. Ils ne se sentent pas bien mais ça fait bien.

Je doute de l'efficacité de ces individus lorsqu'ils pratiquent leur profession. Ceux qui se servent de leurs titres pour impressionner ont une bien piètre estime d'eux. Je conclus qu'il existe encore des gens prêts à être malheureux toute leur vie pour épater leurs parents et amis. Ils trouvent une motivation à porter un titre mais je doute qu'ils en trouvent une à effectuer leur travail.

FACTEUR No 13 : L'ACCOMPLISSEMENT (5 points)

Sentir que ce que l'on fait sert à quelque chose et aide les gens autour de soi caractérise bien ce que signifie l'accomplissement. La «vocation» n'est pas simplement une affaire de religion. Des médecins, des infirmières et infirmiers, des gardiennes d'enfants et bien d'autres travailleurs ne font pas leur travail uniquement pour l'acte qu'ils posent mais aussi pour ce qui en découle. C'est très motivant de savoir que l'on sauve des vies humaines ou que l'on aide un enfant dans son cheminement.

Dans les cas précédents, la satisfaction du devoir accompli est une récompense hautement considérée. Une évaluation psychologique faite sur cent quatre-vint mille personnes a démontré que 77 % des gens interrogés allaient travailler tous les jours à contrecoeur. Ils se lèvent le lundi matin en se disant qu'une autre semaine commence. La motivation de ces personnes est très affectée. Ils ne trouvent aucun intérêt à ce qu'ils font.

J'ai entrepris beaucoup de choses avec des collègues qui attendaient que tout arrive. Lorsqu'on est dix dans une barque et qu'il n'y a que deux personnes qui rament et qu'en plus le courant est contre nous, il n'est pas surprenant de voir le bateau dériver. L'accomplissement est, pour ma part, le critère numéro un d'embauche. Un employé qui veut bien réussir ce qu'il fait et qui met les efforts nécessaires pour y arriver est plus qu'un employé.

FACTEUR No 14 : LA VICTOIRE (5 points)

Cet agent de motivation se retrouve dans quelques domaines bien particuliers. Les affaires, la vente, le sport et la recherche sont des milieux où la victoire est une source importante de motivation. Les gens d'affaires ne courent pas nécessairement après l'argent lorsqu'ils négocient des contrats. Le fait de gagner est, pour eux, très stimulant. Vous avez sûrement constaté que les gens qui aiment la victoire subissent parfois des défaites mais se relèvent et en ressortent grandis.

Nous venons donc de faire le tour des quatorze points majeurs qui nous motivent dans notre travail. Si vous avez marqué vos points, il ne vous reste qu'à en faire la compilation. Plus votre pourcentage est élevé, plus votre degré de motivation pour votre travail est élevé. C'est en s'arrêtant à ces facteurs que l'on s'aperçoit qu'il n'y a pas que l'argent qui motive les gens, bien qu'il prenne la plus grande place en comptant pour 25 %.

Selon moi, vous devez avoir une passion pour ce que vous faites. Vous y laissez au moins 35 heures de votre vie hebdomadairement, soit environ le tiers de vos journées. Je n'inclus pas à cela les heures que vous mettez à vous préparer, à vous rendre au travail, le temps que vous prenez pour le dîner et le retour à la maison, sinon nous arrivons facilement à un total de 50 heures par semaine. Ceux qui détestent leur emploi doivent être malheureux d'y laisser autant d'heures. D'autant plus que notre travail affecte grandement notre vie sociale et notre humeur. À long terme, ces conséquences peuvent avoir des répercussions importantes sur notre vie de couple.

Bien comprendre la motivation

Le monde de la motivation est grand. Il ne consiste pas seulement à analyser ce qui incite l'être humain à agir positivement mais aussi négativement. La consommation de drogue fait aussi partie de la motivation. Il y a des facteurs qui poussent un individu à prendre de la drogue et ils sont aussi importants que ceux qui motivent un athlète à se surpasser. Je m'intéresse donc à tout ce qui *motive* l'être humain à faire ou à ne pas faire une chose, contrairement à ce que l'on attend d'un motivateur.

Lorsque j'ai élaboré les idées pour écrire ce livre, je savais que les puristes diraient qu'un motivateur doit parler positivement et ne pas toucher aux sujets tels que la drogue ou le SIDA. Ce qui nous incite à consommer ou ce qui nous incite à réussir notre vie, c'est de la *motivation*. Nous avons tous droit à l'espoir. Espérer réussir ce qu'on entreprend ou espérer se sortir de l'enfer de la drogue, voilà l'expression de deux attitudes positives.

Je ne pouvais également pas ignorer le phénomène du SIDA qui comptait en mars 1989 plus de 141 894 victimes dont 700 nouvelles par semaine au niveau mondial. De plus, 70,3 % des sidatiques se situent dans le groupe des 20 à 39 ans. Juste au niveau canadien, les prévisions indiquent que le pays comptera 7 000 victimes en 1991. Peut-on fermer les yeux face à ce phénomène et ne pas croire à un certain espoir?

Ce n'est pas parce qu'on est renégat que l'enfer n'existe plus. La seule possibilité de se sortir d'une mauvaise situation repose sur notre propre volonté. D'ailleurs, ce qui fait la différence entre le gagnant et l'homme de tous les jours, c'est la volonté.

Cette qualité se perd lentement et la société semble ne pas s'en soucier. Les gens attendent après le gouvernement pour tout régler. Quand ils ont besoin d'une subvention, c'est au gouvernement qu'ils s'adressent; quand ils regardent la télé et qu'ils réalisent qu'il y a des problèmes de drogue ou de violence, ils disent encore que le gouvernement devrait s'en occuper.

C'est ainsi que nous maîtrisons parfaitement l'art de nous lancer la balle. Dès que quelque chose ne va pas bien, on se sauve et on laisse la responsabilité à d'autres. Et si des problèmes majeurs surviennent, on commence à entendre le légendaire «c'est pas moi, c'est lui». Pour que notre société devienne forte et prospère à tous les niveaux, il faudra prendre nos responsabilités et régler définitivement nos problèmes. Il ne faudra pas avoir PEUR de dénoncer les injustices. On devra être solidaires entre travailleurs et patrons, entre familles et entre hommes et femmes.

Une chaîne ne peut pas être plus solide que le plus faible de ses maillons. La force d'une société se mesure de la même façon. Le plus faible d'entre nous fera casser cette chaîne, c'est pourquoi nous devons bâtir un monde d'amour et de paix, un monde où tous pourront évoluer. Le paradis terrestre pourrait alors exister et nous serions heureux comme nos premiers parents. Le bonheur, n'est-ce pas ce que nous essayons de trouver tout au long de notre passage sur cette terre? C'est ce qui nous pousse à posséder de plus en plus de biens et d'argent. Nous voulons nous assurer une sécurité. Quand le vide persiste, c'est vers la drogue ou l'alcool que l'on se tourne.

Ces distributeurs de bonheur artificiel affaiblissent la relève et la rendent plus vulnérable. L'appel à l'aide de l'alcoolique ou du toxicomane est incompris et est interprété comme un crime. Toutefois, il ne faut pas oublier que ces gens sont véritablement des victimes. Victimes familiales, victimes de la société ou victimes de leur curiosité, il n'en demeure pas moins qu'ils veulent s'en sortir mais que la lumière au bout du tunnel n'est pas apparente.

Au lieu de les critiquer nous devrions les aider à s'en sortir. Quand nous savons qu'un de nos proches ou un de nos amis prend de la drogue ou a un problème d'alcoolisme, il est de notre devoir de l'inciter à consulter des cliniques de désintoxication. S'il obtempère à notre demande, nous devons l'encourager et l'appuyer dans sa démarche. Il aura besoin de nous plus que jamais. C'est ainsi que notre mission prendra un sens. Les consommateurs ont besoin de cette attention qui leur a manqué lorsqu'ils étaient enfants.

Je ne suis pas idéaliste et je ne crois pas à une société parfaite, mais je crois qu'il y a place à l'amélioration. Avant de changer une société, on doit d'abord convertir les individus qui la forment. Ils doivent avoir la conviction que les gestes qu'ils font engendrent des effets. C'est comme au football : si chaque joueur couvre bien son homme, il n'y aura pas beaucoup de jeux qui réussiront. Dans le même sens, si tout le monde fait sa part, si petite soit-elle, nous réussirons à améliorer notre vie. Je parle ici de la vraie vie, de celle qui nous retient sur cette terre par ses beautés et ses attraits.

Au cours de notre courte période estivale, j'ai souvent l'occasion de me prélasser autour d'une piscine avec des amis. La phrase qui revient le plus souvent sur les lèvres des gens à ce moment-là est : c'est la vraie vie! Je souris toujours à l'entendre car elle me porte à me demander s'il existe une fausse vie. Et si la fausse vie c'était celle que l'on obtient artificiellement avec des drogues? C'est du moins la conclusion à laquelle j'en suis venu. «La vraie vie», ça existe et c'est ce que j'appelle le bonheur.

«La vraie vie», c'est le voyage de pêche, la promenade en bateau, le voyage dans le Sud, le farniente, le bain de soleil, la fin de semaine à deux dans un chalet, le repas à la chandelle dans un luxueux restaurant ou le saut en parachute. Peut-être avez-vous une autre définition? La vraie vie, c'est faire ce que l'on aime, même accomplir son travail ou exercer sa profession. On a tous une raison de vivre.

Il y a autant de définitions du bonheur qu'il y a d'individus sur la terre. Nous avons tous des passions et des ambitions différentes. Ce que nous recherchons indéfiniment, c'est le bonheur. Dès que nous le trouvons, nous l'apprivoisons. Il devient si familier que nous ne lui portons plus aucune attention. C'est alors qu'on croit l'avoir perdu et qu'on recommence à le chercher.

L'exemple par excellence pour le prouver, c'est l'amour ou l'achat d'un bien. Ceux qui ont une maison peuvent sans doute se rappeler le coup de foudre qu'ils ont eu lorsqu'ils l'ont visitée pour la première fois. Ils voyaient déjà leurs meubles à l'intérieur et la joie qu'ils auraient à y vivre. L'offre d'achat signé, le coeur leur arrête jusqu'à ce que le créancier hypothécaire leur confirme qu'il leur prête la somme désirée. C'est à ce moment-là qu'ils ont de la difficulté à dormir puisqu'ils ne font que penser à cette maison et vivre pour elle.

Quelques mois plus tard, l'excitation fait place au quotidien et ils ne portent plus attention à ce qui les a fait tant vibrer. Cette maison chèrement désirée est devenue «un autre actif» sans plus d'intérêt. Ils se lèvent un beau matin et se demandent ce qu'ils pourraient faire pour trouver le bonheur. Ils ont alors un autre projet, celui de partir en voyage et voilà que l'histoire recommence. Ils planifient la destination, vont acheter les billets et magasinent en fonction de ce voyage. Plus rien n'existe à part ce voyage qui les fait rêver. Leur coeur débat et l'excitation est à son paroxysme. Ils partent et s'amusent en se flattant d'avoir trouvé le bonheur. Enfin, ils reviennent et, quelques semaines plus tard, bien assis dans la maison qui les avait fait rêver, ils cherchent encore le bonheur.

L'être humain est en général insatiable. Il désire toujours avoir plus. Dès qu'il gagne 40 000 $, il veut en gagner 45 000 $, et le jour où il les gagne, il en voudrait 50 000 $. C'est ainsi qu'il se dira satisfait de la voiture qu'il possède mais ne sera pas pour autant rassasié. Ce qu'il veut, ce dont il rêve et ce qu'il possède sont des choses complètement différentes. Le bonheur ne semble jamais acquis, ce qui nous donne le sentiment que nous devons le reconquérir à chaque jour.

Si une petite maison pouvait nous suffire, si une voiture intermédiaire et un ameublement moyen nous suffisaient, nous pourrions sûrement apprécier davantage ce que nous avons et ce que nous sommes. Ceux qui vivent ainsi ont trouvé le bonheur. C'est dans le quotidien qu'il se trouve, c'est dans ce qui nous entoure et au fond de ceux qui nous côtoient qu'il se cache timidement, si timidement que tous les jours nous passons à côté et nous ne le remarquons même pas. Tout comme le passant dans la rue, il nous sourit et nous lui sourions, mais dès que nous avons avancé de quelques pas, nous l'avons oublié. Puis c'est au tour d'un autre passant à nous sourire et ça recommence.

On a tous droit au bonheur. Je connais bien des personnes qui croient que le bonheur c'est pour les autres. Elles disent qu'elles sont nées pour un petit pain et que la vie c'est une suite d'événements malheureux par lesquels on doit passer. Elles disent également que ceux qui réussissent y étaient simplement» destinés. Peu importe ce qu'elles feront, elles sont nées pour la misère, les autres pour l'abondance. La chance n'a jamais joué et ne jouera jamais en leur faveur.

Ces gens ont tellement peur du bonheur que lorsqu'un événement heureux se produit, en bons superstitieux, ils ont peur que le malheur suive de près et ils touchent du bois. Ils perdent ainsi la joie du moment présent puisqu'ils pensent déjà aux problèmes qui pourraient survenir. Ils disent donc : «Si cette vague de chance pouvait se poursuivre! Ça va trop bien, il va sûrement arriver quelque chose!» Ils ne croient pas à la prospérité car, selon eux, elle est réservée à une petite élite. Ces personnes passent totalement à côté de la vie.

À mon sens, ils ont bien peu de respect pour l'Être qui les a créés. C'est comme s'ils disaient : «Toi, force toute-puissante, tu es injuste car moi je suis un bon à rien et mon voisin a tous les talents. Je ne pourrai pas réussir ma vie avec le peu de richesses que tu m'as données. Mon voisin vit dans l'abondance et le luxe et moi, dans la pauvreté et la misère. Tu n'as pas le droit de nous traiter ainsi. Si tu agis de la sorte c'est que tu as un plus grand intérêt pour lui que pour moi. Tu m'as mis sur cette terre pour être malheureux et souffrir tous les jours tandis que lui est ici pour s'amuser et être heureux. C'est déloyal!»

Voilà le discours que tiennent des milliers de gens tous les jours. Ils ne le réalisent peut-être pas, mais c'est ce qu'ils lancent comme message. Je connais beaucoup de parents qui seraient malheureux d'entendre leurs enfants exprimer des frustrations pareilles. Imaginez que votre fille vienne vous voir et vous dise qu'elle n'a pas de talents et que vous ne l'avez mise au monde qu'avec des défauts. Que vous êtes injuste parce que ses amies peuvent aller au cinéma mais qu'elle ne peut y aller car vous n'avez pas les moyens de lui donner, ou même prêter, l'argent nécessaire. Elle vous accuse de ne pas lui avoir donné l'intelligence et les aptitudes essentielles pour réussir à l'école.

Honnêtement, comme parent, comment réagiriez-vous? C'est pourtant le reproche que bien des gens font à une force supérieure lorsqu'ils se plaignent de leur condition. Vous avez tous les talents pour réussir votre vie. C'est à vous de vous prendre en main et de foncer. Vous pouvez croire que vous ne pouvez pas aller plus loin qu'un certain niveau, c'est votre droit. Toutefois, vous avez tort. Vous n'irez jamais plus loin que les limites que vous vous imposez. La vie appartient à tout le monde. L'avenir appartient aux audacieux, soyez du nombre!

Pour être heureux, il faut d'abord le vouloir. Je connais des gens qui refusent de l'être. Ils sacrifient leur vie pour que les autres le soient. Toutefois, avec leur attitude ils ne goûtent jamais les moments heureux et gênent les gens autour d'eux. D'autres sont tellement préoccupés par leur image qu'ils ne s'amusent presque jamais : «J'aimerais me baigner et avoir du plaisir, mais je vais me dépeigner.» Je trouve malheureux une telle attitude. Lorsque l'image qu'on projette est plus importante que ce que l'on est vraiment, ça commence à être inquiétant. Il faut *vivre* et non pas exister! Les minutes perdues à vous remonter la couette pour mieux paraître ne reviendront jamais.

Cessez de jouer à l'adulte constipé! Jouez tout court! Profitez du moment présent, amusez-vous dans la vie. Ce genre de discours on ne l'entend généralement que par ceux qui ont frôlé la mort ou par ceux qui sont handicapés. N'attendez pas d'être confiné à un fauteuil roulant pour le reste de vos jours pour trouver que la vie est merveilleuse. N'attendez pas de perdre la vue pour respirer les parfums de la nature. Vivez, puisque vous avez tous vos membres! Vous n'avez aucune raison de vous plaindre et d'en vouloir à la vie. Ceux qui ont frôlé la mort de près apprécient davantage ce qu'ils ont et ce qu'ils sont.

Les témoins miraculeusement vivants d'un drame survenu dans une institution scolaire avaient été invités à participer à une émission télévisée. Les discours étaient semblables. Ils avaient vu leurs camarades de classe mourir et ont réalisé la fragilité de la vie. Depuis ce jour, ils vivaient pleinement et savaient qu'il y avait une fin à cette vie terrestre. Ils profitaient davantage des occasions et appréciaient la beauté de ce monde. Ils réalisaient que des gens de leur âge étaient morts et qu'ils s'étaient souvent privés de faire des choses. Ils disaient qu'ils ne voulaient plus perdre de chances dans la vie. «Mes amies n'ont pas eu la chance de profiter de la vie en mourant si jeunes mais moi, je veux jouir de tout ce qu'il m'est possible de jouir», déclara une des victimes prodigieusement sauvées.

Il faut contracter le virus d'une grippe pour réaliser jusqu'à quel point nous sommes bien lorsque nous sommes en santé. Tous nos muscles sont douloureux, notre tête est lourde et notre respiration est rendue difficile. La vie n'est plus la même et plus rien ne nous intéresse. Seule la santé est notre véritable préoccupation. Peu de temps après l'avoir recouvrée, nous ne l'apprécions plus et la maladie redevient quelque chose de négligeable.

Malheureusement, la mémoire est une faculté qui oublie. On ne prend pas assez conscience de son état quotidien. On se lève le matin, tout va bien et c'est normal. Pourquoi être content de ça puisqu'on devrait toujours être bien? Nous n'apprécions pas assez ce don précieux qu'est la santé. Lorsque je parle de cela avec des gens après mes conférences, ils me disent tous que j'ai raison. Toutefois, personne ne réalise ce qu'il fait. Ils se gavent de toutes sortes d'aliments transformés dont la durée de vie est prolongée artificiellement.

Ils n'ont ainsi aucun respect pour leur corps. Ils le bichonnent extérieurement pour mieux paraître mais ils négligent l'intérieur. Les repas n'ont aucune importance. Ils ne déjeunent pas ou ils prennent deux rôties, croyant qu'ils ont déjeuné, ils mangent à la course à l'heure du dîner, et le soir ils se paient un gros repas avec de la viande, du pain et une ou deux sortes de légumes (bien souvent en conserve). Ainsi, ils n'ont plus faim car ils ont mangé. Mais ce n'est pas la quantité d'aliments que nous mangeons qui est précieuse, c'est la qualité.

Je ne veux pas entrer dans le domaine de la nutrition mais je vous conseille de porter une attention particulière à cet aspect. La santé est intimement liée au bonheur et c'est pour cette raison que j'ai fait cette mise au point. Ceux qui abusent des drogues hypothèquent leur santé. Ils s'infligent des traumatismes souvent irréparables. Pour jouir pleinement de la vie, il faut être parfaitement lucide et posséder tous ses moyens. Le bonheur, c'est aussi être autonome. Lorsque nous sommes dépendant de quoi que ce soit ou de qui que ce soit, notre bonheur en est ainsi affecté. Demeurez des gens libres, capables de faire des choix et de les assumer. Surveillez votre santé, tant physique que mentale, car le bonheur et le succès s'acquièrent grâce à elle.

Demeurez vous-même toute votre vie, ne jouez pas à celui ou à celle que vous aimeriez être. Nous sommes tous différents et ce sont ces nuances qui créent notre personnalité. Ce n'est pas parce qu'une personne est heureuse et que nous l'imitons que nous serons heureux nous aussi. Sachez que l'image que vous voulez projeter sera, tôt ou tard, faussée. Si vous agissez ainsi, votre vraie personnalité et tout ce que vous êtes, on ne le connaîtra jamais. Nous devrons nous contenter d'une pauvre copie d'un individu auquel personne, à part vous, n'est intéressé.

Nous avons tous quelque chose de beau à l'intérieur de nous-même. Pourquoi s'efforcer de le cacher et masquer celui ou celle que nous sommes? Dans notre soif éternelle de nous faire aimer, nous oublions les règles du jeu et nous sommes prêts à tout pour conquérir les autres. Montrer un faux visage pour être accepté, voilà ce que la plupart des gens font tout au long de leur vie. Ils se ramassent avec quatre à cinq personnalités différentes selon ceux à qui ils ont affaire. Puis, un jour, alors qu'ils rencontrent simultanément plusieurs personnes, ils doivent jouer avec leurs personnalités pour être égaux à eux-mêmes.

C'est d'ailleurs ce qui est à l'origine des séparations de beaucoup de couples. Lors des fréquentations, chacun des partenaires se donnait une personnalité aimable afin de plaire à l'autre. Les gestes attentifs et les pensées sincères étaient nombreux. Avec le temps, on ne voit plus la nécessité de séduire son partenaire puisqu'on sait qu'il nous aime. L'image que nous avions créée n'aura servi qu'à piéger notre proie. La personnalité naturelle revient vite à la surface et nos rapports avec l'autre se détériorent puisqu'ils avaient été fardés. Ainsi, notre partenaire nous accuse d'avoir changé mais, en fait, nous sommes tout simplement redevenus naturel.

J'ai connu un couple charmant. Les deux partenaires étaient des personnes admirables pour qui j'ai beaucoup de respect. Malheureusement, comme je viens de vous le décrire, l'un des partenaires avait joué un jeu. Pour attirer l'autre, il avait démontré des goûts qui n'étaient pas les siens. Cette personne s'était montrée sous un faux visage. Elle avait complètement déçu les attentes de son partenaire. Fière d'elle, elle avait réussi à conquérir l'amour du conjoint mais pas éternellement puisque après son mariage elle est demeurée seule, ne répondant plus aux aspirations de son partenaire. La douleur de l'expérience a été profonde. Toutefois, combien d'entre vous jouent à ce petit jeu pour avoir de l'amour.

Si vous désirez véritablement vous faire aimer, soyez naturel. Ainsi, on ne vous reprochera pas d'avoir changé avec le temps. Mais que voulez-vous, se faire aimer, c'est le propre de l'être humain. De ce fait, pour ne pas perdre sa chance et risquer de rester seul, on est prêt à faire toutes sortes de pirouettes. D'autre part, on est également prêt à fermer les yeux sur une foule de choses. Votre partenaire boit continuellement mais ce n'est pas grave, ça va passer. Puis, vous vous mariez, et c'est toujours pareil. C'est alors qu'on entend la légendaire petite phrase : «Si j'avais su qu'il était comme ça!»

Nous avons, en tant qu'être humain, la facilité de voir et de comprendre seulement ce qui fait notre affaire. Nous nous accommodons des situations agréables et nous ignorons celles qui nous dérangent. En se cachant ainsi la réalité, on se réveille un beau matin et on se dit que ça a changé. Notre vie change brusquement et on se convainc qu'on ne s'y attendait pas. Pire encore, nous nous posons des questions dont nous connaissons les réponses mais, trop hypocrite pour l'avouer, nous nous questionnons naïvement.

La vie n'est pas si méchante que ça. Elle nous offre du beau et du bon. C'est à nous d'en profiter et d'arrêter de jouer à l'autruche. Plus on regarde les problèmes en pleine face, plus il est facile de les résoudre. Par opposition, si vous fuyez toujours les problèmes, ils vous paraîtront de plus en plus incontrôlables. C'est votre attitude qui déterminera la qualité de vie que vous aurez. Dès qu'il y a un problème, dites-vous qu'il y a une solution.

C'est l'attitude qui crée le gagnant. Il est sur la même planète que vous, il a autant de membres que vous et il a droit à autant de choses que vous. La différence c'est qu'il les prend. Il se dit que ces choses nous sont données pour notre bonheur. Il ne regarde pas ceux qui les ont en se disant qu'ils sont chanceux. Il relève ses manches et prend des moyens honnêtes pour arriver à ses fins. Son travail sera récompensé et il le sait avant même de commencer. C'est le but qu'il regarde et non pas l'effort qu'il devra mettre.

Regardez vos actifs. Prenons par exemple une voiture. Si vous aviez compté le nombre d'heures que vous deviez travailler pour vous la procurer, vous auriez sûrement été découragé. Toutefois, comme il est normal d'en posséder une et que vous en rêviez depuis longtemps, vous avez fait les efforts nécessaires sans vous en rendre compte. Le but était donc plus important que l'effort. Il en va de même pour tout ce que vous désirez dans la vie. Ne regardez jamais les efforts que vous devez déployer, mais plutôt la récompense que vous mériterez.

L'enfer attend ceux et celles qui ne sont pas prêts à faire ces efforts. Ceux qui préfèrent la facilité et la malhonnêteté vivront brièvement le bonheur, soit la durée de leur passage sur terre. Leur corps physique et leur ego seront comblés provisoirement.

Si vous désirez traverser la vie en prenant l'option de la facilité, vous ne connaîtrez jamais ce qu'est la force. Dès que vous aurez des choix à faire, vous opterez toujours pour la solution facile. De ce fait, vous devrez vous contenter de la récompense qui s'y rattache. On a ce que l'on mérite! Quoique notre passage sur terre soit éphémère, la vie ne se termine jamais. Il faut donc s'appliquer à faire de son mieux. Mais que doit-on faire pour faire de son mieux? Ce que je fais actuellement, est-ce que c'est ça faire de mon mieux?

Laissez-moi vous conter l'histoire d'un homme qui a toujours fait de son mieux et qui se demande constamment pourquoi la vie ne le récompense pas davantage. Lorsqu'il était enfant, il avait à peine de quoi se mettre aux pieds tant sa famille était pauvre. Il n'avait aucun jouet à Noël. À l'école, l'enseignante le réprimandait et le battait lorsqu'il ne connaissait pas les réponses. Vers l'âge de dix ans, il dut aller travailler pour faire vivre ses parents, ses frères et ses soeurs. Lorsqu'il revenait de ses «runs» à l'extérieur, il donnait entièrement ses paies à son père et ne se gardait que quelques cents pour s'acheter des cigarettes. Ses parents sont morts alors qu'il était encore adolescent.

Il se maria. Des enfants naîtront de cette union, mais plusieurs mourront dès leur naissance. Pour sa part, sa femme a frôlé la mort à deux reprises et à un certain moment elle a été hospitalisée pendant plus d'un an, le laissant seul avec son travail et deux enfants. Après ce temps, il dut s'exiler dans le Nord pour gagner sa vie puisque le travail se faisait rare dans son milieu. Il a gagné de bons salaires puis a été rejeté par ses frères et soeurs qui le jalousaient.

Un jour, alors qu'il travaillait paisiblement sur un chantier, l'appareil qu'il conduisait est entré en contact avec de la dynamite qui se trouvait accidentellement sur le terrain et la déflagration lui fit perdre l'usage d'une oreille. Comme il avait de grandes responsabilités envers sa famille, il ne s'en est jamais plaint et n'a jamais entamé aucune poursuite, de peur d'être licencié par ses patrons. Il a repris son travail et n'a divulgué cette histoire qu'au moment de la retraite.

Il voulait tellement bien faire et toujours faire mieux, qu'il se questionnait continuellement, si bien qu'un jour il développa des ulcères à l'estomac et alors qu'il était à son travail, il perdit connaissance et tomba hors du véhicule qu'il conduisait. Il se demandait toujours et se demande encore ce qu'il peut faire de bien sur la terre et pourquoi la vie est si difficile. En réalité, les réponses à ses questions sont dans les épreuves qu'il a traversées.

Ces dernières lui ont appris la vraie valeur des choses. La pauvreté qu'il a vécue lui a enseigné l'altruisme, les problèmes qu'il a affrontés à l'école lui ont inculqué le respect de l'autorité, l'obligation qu'il a eue de travailler très jeune lui a fait développer son sens des responsabilités tout en lui rappelant qu'il lui fallait faire des efforts pour réussir sa vie. Le devoir qu'il avait de remettre la presque totalité de ses payes à ses parents l'a ouvert à l'entraide et au partage. La perte de ses parents, alors qu'il n'était encore qu'un enfant, l'a sensibilisé à la vie tout en lui démontrant la fragilité de l'être humain.

L'isolement qu'il a dû subir en allant travailler loin de sa femme et de ses enfants lui a permis de méditer et de devenir celui que j'appelle aujourd'hui «le sage». La perte d'enfants dès leur naissance lui a appris que notre famille ne nous était pas donnée mais plutôt prêtée par une force qui nous rappelle qu'elle viendra nous chercher au moment où elle le désirera. Il faut savoir accepter les aléas que la vie nous impose. L'éventualité de perdre sa femme alors que ses enfants étaient en bas âge lui a enseigné qu'il devait toujours avoir la foi, peu importe la situation, et lorsqu'il a été jalousé par ses propres frères, il a compris l'importance de la miséricorde.

Toutes ces valeurs qu'il a acquises lui ont permis de voir la vie sous un autre angle. Toutefois, il faut être conscient de leur présence. Ces épreuves lui ont apporté de grandes récompenses mais il ne l'a pas toujours réalisé immédiatement. Il a su mettre au monde des enfants qui lui ont bien rendu l'éducation qu'il leur a donnée. Le respect, la générosité, l'entraide, le sens des responsabilités et le partage de l'amour font aujourd'hui partie de l'héritage que cet homme a laissé à ses enfants.

Pourquoi se demande-t-il encore ce qu'il pourrait faire de mieux et de meilleur? Il n'est tout simplement pas conscient des gestes qu'il fait quotidiennement. Pour lui, il est tellement naturel de partager ses actifs qu'il ne peut s'imaginer que ces actions aident sa cause. Pourtant, il n'y a pas de plus grand cadeau ou de plus bel héritage qu'un être humain puisse laisser à ses proches. Les biens matériels demeurent sur la terre mais les valeurs que l'on acquiert nous suivent éternellement.

Je sais que l'histoire de cet homme peut paraître romanesque de nos jours, mais elle est bel et bien vraie. Nous vivons désormais, pour la plupart, dans une société de consommation. Les problèmes que nous devons affronter tous les jours sont ce que j'appelle des «problèmes de riches». Est-ce que je repeins et achète de nouveaux meubles pour le salon ou bien est-ce que je garde cet argent pour faire un voyage? Est-ce que je quitte mon emploi et m'aventure dans une nouvelle carrière ou est-ce que je conserve ma sécurité? Est-ce que je garde ma voiture une autre année ou bien est-ce que je la change immédiatement pour en retirer le maximum de profit? Voilà autant de questions que les gens se posent tous les jours.

Ce n'est certes pas là de vrais problèmes. La ouate qui nous enveloppe n'est pas trop méchante à notre égard. Ce que les gens des générations antérieures vivaient, était beaucoup plus problématique que ce que l'on connaît actuellement. Le manque de commodités était en ce temps-là évident. Aujourd'hui, le confort est un acquis dès la naissance. On ne veut pas aller plus bas ou connaître moins que ce que l'on a déjà connu. Les gens ne sont pas prêts à se priver. Ils considèrent que la vie leur doit bien les douceurs qu'elle leur offre à l'occasion et qu'il n'est pas question de s'en passer.

Toutefois, les leçons que l'on retire de la vie ne sont certes plus les mêmes. Notre volonté d'acquérir de plus en plus de biens matériels ne nous enseigne sûrement pas l'altruisme et le partage. L'exemple que nous donnons à nos enfants n'est rien de très valorisant. Un jour, nous nous demanderons pourquoi ils ne viennent plus nous voir ou bien pourquoi ils ne se préoccupent jamais de nous? La réponse est simple. Sème de l'amour et tu récolteras de l'amour; sème des valeurs matérialistes et tu récolteras de l'indifférence.

Un couple qui avait élevé trois enfants est demeuré longtemps étonné parce qu'il trouvait que leurs enfants les fréquentaient de moins en moins. Ces parents, qui avaient toujours travaillé de longues heures durant la croissance de leurs jeunes, ne s'étaient jamais véritablement arrêtés à l'aspect humain de la relation parent-enfant, mais plutôt au rôle de pourvoyeurs. Ce que les parents donnaient aux enfants c'était des cadeaux, des permissions et des faveurs. Soyons honnêtes, c'est beaucoup moins contraignant que de donner du temps. Pour leur part, ce que les enfants attendaient des parents c'était de l'attention, une présence et de l'amour.

Ils ont donc appris à investir beaucoup de temps dans leurs vies professionnelles et sociales au détriment de leur vie familiale. Les gestes qu'ils font aujourd'hui sont le reflet de l'éducation qu'ils ont reçue à la maison. Selon eux, il est plus important de gagner beaucoup d'argent, de ne manquer de rien et d'avoir le maximum de confort que de prendre le temps de vivre et d'apprécier ce qui les entoure. Ils sont prêts à tout pour obtenir les biens qu'ils veulent et ne se soucient guère des conséquences de leurs gestes sur leur entourage. L'aspect humain n'est pas une priorité.

De ce fait, les parents de ces enfants n'ont rien à leur reprocher car ils suivent exactement le cheminement logique qui leur a été dicté. Ces parents voulaient protéger leurs enfants tout en se faisant pardonner leurs absences alors ils matérialisaient leur amour. Par ailleurs, les enfants ayant connu un style de vie appréciable, ils ne veulent plus tomber plus bas. Le «standing» est devenu leur principal cheval de bataille. Ces enfants de l'abondance ne font plus aucun compromis. Ils n'ont plus aucun devoir mais seulement des droits. À cause de l'éducation qu'ils ont reçue, ils ne peuvent tolérer un refus.

Malheureusement, ils passent complètement à côté de l'essence de la vie et leur sensibilité s'atténue graduellement. De ce fait, l'amour véritable se fait de plus en plus rare, faisant plutôt place à l'amour passion, celui qui ne dure que le temps de le dire. C'est ainsi qu'au premier obstacle il explose littéralement, ne supportant pas la contradiction ni le désaccord. On doit donc conclure qu'il ne s'agit pas ici de véritable amour. Cette discipline qu'il faut pour aimer est, malheureusement, de moins en moins pratiquée.

En réalité, c'est l'amour qui nous motive à agir presque quotidiennement. Si nous ne pouvons aimer véritablement, comment pouvons-nous simplement croire être capable de nous motiver à faire quelque chose. La motivation, c'est l'amour que l'on a du but que l'on s'est fixé. Sans amour, ce but n'a aucun intérêt, donc la motivation d'y parvenir est nulle. Lorsqu'on fonde une famille, c'est l'amour que l'on a pour soi-même et pour les enfants qui nous motive à les mettre au monde. Sans cet amour, personne ne serait motivé à donner naissance.

Si on veut motiver quelqu'un à faire quelque chose, il faut d'abord trouver ce qu'il aime et ce qui le passionne. C'est en touchant ses cordes sensibles que l'on réussira à le faire réagir. Cette réaction est donc appelée motivation. Celui qui n'aime pas son emploi et qui se rend travailler tous les matins n'est pas motivé par ce qu'il fait mais plutôt par ce que l'argent qu'il en retire lui procure. Cette situation est plus répandue que vous ne l'imaginez. Trop peu de gens aiment vraiment ce qu'ils font. Cela vous prouve donc que la motivation existe même sous des aspects qui peuvent nous paraître négatifs. S'il faut de l'amour pour être motivé, qu'est-ce qui pousse les jeunes d'aujourd'hui à faire des choses?

Les enfants de l'abondance

Ceux et celles qui ont moins que vingt ans font partie de ceux que j'appelle les enfants de l'abondance. C'est-à-dire qu'ils ont reçu et reçoivent encore une éducation supérieure, ils n'ont jamais connu la privation et évoluent dans l'opulence matérielle. Ils vivent donc dans un monde de facilité où l'effort est devenu presque nul.

Dans les années 60, lorsqu'on voulait regarder la télévision, le choix des canaux à syntoniser était pauvre. En plus, si on voulait changer de station, il fallait se lever et tourner le sélecteur. Les enfants de l'abondance sont nés avec le câble qui leur a procuré plus de trente canaux et un contrôle à distance pour sélectionner les stations. Avant, si une émission ne nous plaisait pas, il fallait se lever et tourner le sélecteur, maintenant il n'ont qu'à «zapper» et voilà, le tour est joué.

Toutefois, ce phénomène, quoique banal à première vue, est très intéressant à analyser quant au comportement général de cette nouvelle génération. Je me trouvais un jour dans une salle de séjour d'un collège privé où les étudiantes en pension pouvaient avoir accès à un téléviseur, quand tout à coup l'appareil de contrôle à distance a flanché. C'était la panique totale. Les jeunes ne pouvaient plus sauter d'un canal à l'autre avec cette facilité qu'ils connaissaient. Si elles voulaient regarder une autre émission, elles devaient se lever et tourner le sélecteur; quel drame! Le minimum d'efforts que les jeunes d'aujourd'hui doivent déployer est représentatif de leur personnalité. Puisqu'ils ont été élevés dans le modernisme et la facilité, les efforts qu'ils doivent faire sont d'autant plus grands qu'ils n'ont rien connu d'autre.

Voyons maintenant comment aurait réagi une personne de 40 ans, puis une de 65 ans face à la même situation. Tout d'abord, si le sélecteur de canaux avait flanché, la personne de 40 ans aurait analysé le problème : c'est peut-être les piles qui sont mortes? Si je frappe sur le sélecteur – c'était la méthode à l'époque des vieux appareils à lampes – il va peut-être reprendre vie? Et voilà que résigné, notre héros se lève et tourne le sélecteur manuellement en se promettant d'aller faire réparer le contrôle dès que possible. Sa vie n'est pas terminée et il s'accommode de la situation.

Pour leur part, les gens de 65 ans et plus réagiraient différemment. Lorsqu'ils auraient constaté que l'appareil ne fonctionne plus, ils auraient eux aussi changé les piles, puis, devant l'inefficacité, ils auraient déposé le sélecteur. Ensuite, ils se seraient résignés en se disant que, de toute façon, ces «bébelles-là», ça brise tout le temps et ça coûte une forture à faire réparer. Comme je peux encore me servir de mon téléviseur sans ce machin, je préfère tourner les «postes» moi-même que de payer pour que ça revienne encore brisé.

Dans le dernier cas, on remarque l'attitude résignée de ceux qui ont connu la privation et la misère. Le manque de facilité des années 20 est à l'origine de ce comportement tout comme l'abondance des années 80 est à l'origine de la personnalité de nos jeunes. Ceux qui ont vécu avec le poêle à bois sont toujours étonnés de la rapidité et du sens pratique du four à micro-ondes. Nous sommes loin des nuits où l'on devait se lever pour mettre du charbon dans le poêle. De nos jours, le chauffage à rayons ou à énergie solaire est de loin plus pratique et plus efficace. Les enfants de l'abondance n'ont qu'à aller dans le réfrégirateur pour se servir un verre de lait. Dans les années 20, on utilisait des glacières et le lait ne se gardait pas aussi longtemps. Il était tout naturel. Maintenant il est pasteurisé, homogénéisé et partiellement écrémé.

Les années 40 ont sensibilisé bien des gens à la privation en raison de la guerre mondiale. On rationnait les denrées en émettant des coupons. L'entraide était de mise puisque les différentes familles s'échangeaient les coupons selon leurs besoins. Tous devaient coopérer s'ils voulaient passer à travers cette crise. On devenait conscient de la valeur de la nourriture et des autres biens qui nous entouraient. Le fait d'avoir manqué de quelque chose pendant plusieurs années était gravé à jamais dans la mémoire de la plupart des gens. Vous n'avez qu'à regarder quelle valeur a l'argent pour ces personnes. Elles savent qu'il est précieux pour manger et survivre, mais il ne faut pas le gaspiller.

Pour leur part, les enfants de l'abondance n'ont pas été élevés dans la récession. Ils ne connaissent pas la juste valeur de l'argent. Lorsqu'ils quémandent des biens à leurs parents, ils n'ont aucune idée du nombre d'heures que ces derniers doivent travailler pour les leur procurer. Comble de malheur, ils obtiennent régulièrement ce qu'ils demandent. Ceci développe chez les jeunes un phénomène d'impatience puisqu'ils n'ont pas à mériter ou à attendre les biens qu'ils réclament. Le refus devient donc un autre aspect inconnu des jeunes qui ont l'habitude de voir leurs parents obtempérer à leurs demandes.

L'action des parents contribue à enlever tout intérêt au jeune à travailler ou à lutter lorsqu'il veut quelque chose. C'est la raison pour laquelle mes recherches en ce domaine démontrent que de moins en moins de jeunes sont motivés dans la vie. Ils possèdent pourtant une plus grande facilité d'apprentissage, un plus grand choix de professions et peuvent même se perfectionner à peu de frais. Par contre, comme ils ne sont pas certains de trouver du travail, ils se demandent ce qu'ils pourraient bien faire.

Ils ont eu l'habitude de tout se faire offrir, d'accepter ou de refuser comme ils le désirent. Toutefois, la vie est différente. Il faut chercher laborieusement pour trouver du travail. On ne vient plus nous chercher à l'école pour combler des postes dans une entreprise comme cela se faisait autrefois. Les emplois se font rares et les jeunes réclament du gouvernement de leur donner du travail. Quelle attitude! Où sont passés l'effort et la volonté d'autrefois? Devant ces faits, les enfants de l'abondance n'ont pas vraiment de motivation pour le travail. De plus, il les prive de bon temps et ça, c'est plus important que l'effort.

Réussir a toujours été et sera toujours une question de discipline. Cette qualité a tendance à disparaître, ce qui crée une nouvelle génération beaucoup plus amorphe. Celle-ci veut bien des choses mais n'a pas le courage de lutter pour les obtenir. Ce n'est pas le talent qui manque à ces jeunes qui ont tout le matériel et les possibilités pour réussir. Ils ont une foule de choses à leur disposition mais ne sont pas prêts à faire les efforts nécessaires. C'est l'éducation qu'on leur donne qui est à l'origine de cette attitude.

Si, pour motiver une personne, elle doit avoir un intérêt pour quelque chose, il faut donc laisser la chance aux jeunes de mériter ce qu'ils veulent avoir. C'est la seule possibilité pour qu'ils se forment un caractère. Si nous aimons vraiment les nôtres, nous espérons qu'ils évoluent normalement dans cette société. Pour les rendre indépendants et autonomes, il ne faut pas tout faire à leur place. Il ne faut pas non plus toujours céder à leurs demandes. Il faut savoir être autoritaire et prêcher par l'exemple en étant discipliné. Pour former des leaders il faut de la contrariété, des défis et de la persévérance.

Avec l'attitude que nous adoptons actuellement, ce n'est pas des gens de projets que nous créerons mais plutôt des défaitistes qui ne seront pas capables de faire face aux moindres obstacles. Comme ils le faisaient lors de leur enfance, ils attendront que le temps passe pour que le problème se règle. Ils ne feront jamais face à leurs responsabilités (et c'est déjà commencé) en préférant fuir plutôt que de surmonter l'obstacle. Ils ne cesseront de demander pour satisfaire leurs besoins personnels : aux gouvernements, à leur municipalité, à leurs collègues de travail et à leurs patrons. Ils se plaindront de tout mais ne feront jamais un effort pour changer la situation.

Il faut donc cesser de s'aimer soi-même en se faisant accroire que ce sont ses enfants que l'on aime. Ce n'est pas eux que l'on aime lorsqu'on leur donne tout ce qu'ils demandent, c'est soi-même. On a si peur de perdre leur amour pendant un seul instant qu'on est prêt à tout donner. En agissant de la sorte, on ne fait rien de bien pour eux. On agit plutôt égoïstement en pensant à sa satisfaction personnelle et non pas au bien-être de l'enfant. Ici, c'est l'amour qu'on veut gagner de nos enfants qui nous motive à agir ainsi.

Notre intérêt premier n'est pas le bien de l'enfant mais le nôtre. Je vois des situations semblables tous les jours et chaque fois que je discute avec le parent sur l'attitude qu'il vient d'adopter face à son enfant, il proteste en disant que les siens ne sont pas si gâtés et si protégés que ça. Alors, quand on ne veut pas admettre un fait, il y a deux possibilités. La première c'est que la situation a déjà été analysée *objectivement*, et j'insiste sur le mot, et que notre comportement est correct. La seconde possibilité c'est qu'aucune analyse n'a été faite et que l'individu agit d'une manière naïve et sans en connaître les conséquences. Dans ce cas, on ne peut lui en vouloir.

Comme le disait un de mes amis : «Quand tu sais pas, tu sais pas, mais quand tu sais, tu sais.» Ce qui voudrait dire dans le cas présent que ce n'est pas grave d'agir ou de se comporter d'une manière lorsqu'on ne sait pas qu'elle est mauvaise, mais qu'il est impardonnable de garder la même attitude lorsqu'on est au courant des conséquences. Maintenant vous savez, alors vous n'avez aucune raison de ne pas modifier votre comportement face à vos enfants.

Lorsqu'on sait jusqu'à quel point l'effort est important dans la vie, on ne peut que l'enseigner à ses enfants. C'est un devoir. Un homme dans la soixantaine avancée me contait récemment qu'il était allé cueillir des fraises sur une île bien connue de la région de Québec. Il venait à peine de commencer sa récolte depuis quinze ou vingt minutes, que les jeunes qui l'entouraient, et qui s'étaient engagés à cueillir ces fruits, se plaignaient déjà de la chaleur, de la journée qu'ils perdaient loin de la piscine et de la soif qui les accablait. Ils sont si comblés par leurs parents qu'ils ne réussissent même plus à fournir un effort aussi minime.

Par contre, lorsqu'ils font face à une véritable situation embarrassante dans la vie, ils ne peuvent que s'écrouler sous le poids de la pression. Ils n'ont tout simplement pas l'habitude d'être confrontés à de pareils défis. Les enfants de l'abondance nous réservent un bien sombre avenir. Essayons d'imaginer comment ils seront dans vingt ou trente ans. Si la courbe actuelle se maintient, on doit s'attendre à voir apparaître au cours des années 2020 une société égoïste et flegmatique.

La seule motivation qui tiendra encore en ces temps-là sera celle que cette génération aura toujours eue pour l'argent. L'appât du gain sera devenu si omniprésent que la société sera divisée en deux catégories. Elle sera composée de gens très pauvres qui n'auront aucune aide gouvernementale pour survivre et de gens très riches qui se moqueront des augmentations répétées du coût de la vie. La mort des malades chroniques n'affectera plus personne puisqu'elle sera une délivrance, non seulement pour les personnes souffrantes mais aussi pour ses proches qui se sentiront libérés. Les sentiments ne seront plus que superficiels et la confiance plongera à son plus bas niveau.

Le manque de respect, l'indifférence et le mercantilisme qui auront pris place à cette époque feront pleurer bien des gens. Les parents de ceux qui auront créé cette société seront eux-mêmes abandonnés par leurs propres enfants. À l'image de leurs parents, qui allaient les reconduire à la garderie dès les premiers mois de leur vie, ils iront placer leur père et leur mère dans des hospices et poursuivront leur vie sans trouver le temps de les visiter. L'amour inconditionnel qu'ils n'ont jamais reçu, ils ne pourront le donner à leurs parents. Ils n'auront aucun regret à agir de la sorte puisque leurs parents eux-mêmes agissaient ainsi avec eux lorsqu'ils étaient plus jeunes.

Ces images d'abandon referont surface à la mémoire des citoyens de cette génération. Leurs parents ne seront qu'une nuisance. Le sens de la famille sera relégué aux oubliettes et l'individualisme sera à son plus haut niveau. Ce que je viens de vous décrire n'est qu'une projection de ce qui pourrait arriver si la courbe des comportements actuels se maintenait. Tout porte à croire que ces énoncés se concrétiseront si nous ne changeons pas immédiatement notre attitude. Il ne faut pas oublier que ce que nous faisons aujourd'hui a un impact direct sur notre avenir. De ce fait, il vaudrait mieux considérer les faits précédemment mentionnés et poser des actions concrètes le plus tôt possible.

La motivation que nous avons eue il y a quelques années pour l'environnement est une belle preuve de ce que j'avance. On nous prévoyait toutes sortes de catastrophes sur le plan écologique qui ne se sont jamais produites, compte tenu que les êtres humains ont changé leurs habitudes de vie. Dans le même sens, nous pouvons éviter de créer une société de rustres en inculquant à la prochaine génération le sens du respect et des vraies valeurs. Il faudra redéfinir l'amour et l'appliquer sans conditions. Les parents et les éducateurs actuels ont le devoir de se sensibiliser davantage à la vie. Ils devront prêcher par l'exemple s'ils veulent changer cette éventualité. Qu'ils ouvrent leur esprit et qu'ils apprennent ce qu'est la vie avant d'avoir la prétention d'enseigner quoi que ce soit aux autres.

La vie est trop pleine de joie et de bonheur pour la laisser filer sans se questionner et surtout sans écouter les réponses qu'elle nous donne. Il faut avoir assez de discipline pour écouter ceux qui parlent et cesser de prétendre déjà connaître leur discours. S'ils le disent et si les discours se répètent, c'est peut-être parce qu'ils sont vrais. Ceux qui s'intéressent à la vie et en connaissent le plus à son sujet ne se lassent pas d'en entendre parler. Seuls les creux prétendent tout connaître, ce qui prouve qu'ils n'ont rien assimilé.

La réincarnation
dans la motivation

Selon les adeptes de la réincarnation, il est possible de revenir sur la terre plus d'une fois. Je ne veux pas ici élaborer sur cette théorie mais plutôt vous inciter à comprendre ce qu'est la réincarnation dans la motivation. Si se réincarner c'est revivre ou renaître, il est également possible de naître à nouveau alors que nous sommes toujours sur la terre et, par surcroît, encore vivants. Laissez-moi vous expliquer.

Il faut d'abord mettre au clair notre vocabulaire. Je dis souvent qu'il y a des gens qui *vivent* et d'autres qui *existent*. De ce fait, ceux qui existent ne savent à peu près pas ce qui se passe sur la terre tant ils sont remplis d'inhibitions. À mon sens, ils sont des morts vivants. Afin de les faire revivre (réincarner) il faut les motiver à faire des gestes. Il faut donc leur faire prendre conscience qu'ils sont vivants, ce qui n'est pas toujours facile, et leur prouver qu'ils peuvent réussir leur vie. «Quand tu ne sais pas, tu ne sais pas, mais quand tu sais, tu sais.» Alors maintenant qu'ils savent qu'ils vivent sur la même planète que nous, ils se transforment en d'autres personnes et s'impliquent davantage.

C'est le cas de France, une enseignante que j'ai connue lors d'une de mes conférences. Après que je me fus adressé au personnel de l'école dont elle faisait partie, elle était venue me voir pour discuter avec moi. Elle se décrivait comme une femme sans but, sans intérêt pour quoi que ce soit. Elle était mariée et mère de deux enfants. Elle ne pratiquait aucun sport et ne voyageait jamais. Ce n'est pas le désir qui lui manquait mais le genre de vie qu'elle menait ne se prêtait pas à cela.

Ce jour-là, pendant ma conférence, elle avait accroché sur une petite phrase que j'aime bien lancer lorsque je parle à des gens qui sont à l'emploi d'entreprises ou d'institutions et qui va comme suit: «Est-ce que je suis ici pour la *passion* ou bien pour la *pension*?» Du coup, elle s'est mise à réfléchir sur le sujet. Elle a complètement perdu le reste de ma conférence tant elle était absorbée par la question. Elle se rappelait son premier jour d'enseignement, ses premiers élèves et la sensation qu'elle avait ressentie le premier matin qu'elle avait franchi le seuil de l'école où elle allait entreprendre sa carrière.

Ce matin-là, l'avenir était devant elle. Le rêve de sa vie allait enfin se concrétiser. Toutes ces années d'études où elle se voyait enseigner allaient finalement être récompensées. C'était le début d'une longue carrière prometteuse et remplie de bonheur. Toutefois, sans qu'elle sache trop pourquoi, cette motivation allait s'estomper au cours des années. La lune de miel avec le milieu scolaire allait devenir un travail et non plus une passion comme au tout début. Plus le temps passait, plus le système dans lequel elle vivait se voulait impersonnel et freinait ses ambitions.

Elle était passée de la passion à l'obligation. Elle se retrouvait donc dans la catégorie des gens qui ne travaillent pas en fonction de la passion mais bien de la pension. Dès lors, le compte à rebours se met en marche et l'on ne vit plus. Tout ce que l'on fait est stimulé par le désir d'arriver à cette étape de notre vie. Imaginez, faire le même travail pendant 30 ans et passer ses dix dernières à se concentrer sur la pension. Je sais que c'est le but de bien des gens, mais ils ne savent pas ce qui les attend à l'autre bout. Si vous ne voulez pas goûter à ces beaux jours, continuez à adopter cette attitude car il est prouvé que ceux qui prennent leur retraite vivent en moyenne 6 ans après s'en être pévalus. Ce qui veut dire que l'on arrête de fonctionner pendant 10 ou 15 ans de sa vie pour toucher un but qui ne dure que 6 ans! Si on fait le calcul, nous avons donc hypotéqué 21 années de notre vie, soit presque le tiers, et ce, simplement pour nous faire accroire que nous serions heureux.

France était devenue l'une de ces personnes-là. Elle attendait la retraite sans vraiment planifier ce qu'elle y ferait. Bien sûr, elle avait quelques idées, mais rien de précis. Elle me dit alors qu'elle se demandait ce qui avait pu lui arriver pour qu'elle se mette à agir ainsi. Je me suis donc mis à lui poser des questions sur ce qui l'avait motivée à choisir sa profession. Elle disait qu'elle aimait les enfants, qu'elle adorait transmettre ses connaissances et, surtout, voir le résultat de son travail à la fin de chaque année scolaire. Elle aimait organiser des activités pour les jeunes et combler leur curiosité.

Je repris en lui demandant depuis combien de temps elle sentait avoir perdu le feu sacré. Elle ne pouvait déterminer l'année exacte. France disait que les contraintes administratives et l'attitude générale de ses collègues de travail ne l'avaient sûrement pas aidée. Elle racontait que les autorités de l'école ne lui laissaient plus la même latitude qu'auparavant. L'innovation ne faisait plus partie de son vocabulaire depuis que les administrateurs décidaient de la presque totalité des événements scolaires. Elle ne se sentait plus appréciée et utile. Elle était payée pour donner une matière et c'est ce qu'elle faisait. Le seul défi qui restait était celui de tenir bon jusqu'à la retraite, sans faire face au «burn-out».

France se sentait donc seule, face à elle-même. Elle ne se sentait ni appuyée ni secondée. Tous ses collègues avaient la même attitude et cela ne pouvait que créer un phénomène d'entraînement. Ce qu'il lui fallait, c'était un but. Que l'atteinte de ce dernier se situe à l'école ou dans sa vie familiale, elle devait avoir un nouveau défi, quelque chose pour lui prouver qu'elle pouvait encore être créative. Elle a donc entrepris de créer un mouvement de jeunes qui se réuniraient toutes les semaines afin de discuter de nombreux sujets et d'apprendre un tas de choses que l'on n'enseigne pas à l'école.

Elle était donc maîtresse de son projet. Elle pouvait faire des sorties dans d'autres villes et rassasier ainsi la curiosité des enfants sans l'approbation d'administrateurs. Les jeunes qui s'inscrivaient à ce club étaient nombreux et motivés. Ce qui les motivait, c'était cette sincérité et cette passion qu'ils retrouvaient dans cette femme qui se donnait entièrement. Les enfants étaient bien avec elle et ressentaient tout l'amour qu'elle avait pour eux. Cette décision a été un pas de géant dans sa vie. France venait de renaître et enfin connaître la réincarnation dans la motivation. Elle qui, quelques semaines plus tôt, ne faisait qu'exister, venait de revivre par cette remise en question. Je vous demande de vous poser également cette question qui a changé la vie de France et d'y répondre honnêtement : Est-ce que j'accomplis mon travail pour la *passion* ou bien pour la *pension*?

France n'est pas la seule a avoir fait ce choix, mais elle était la seule à pouvoir prendre la décision de revivre. Dès son adolescence, elle avait décidé de vivre pleinement, mais des circonstances incontrôlables sont venues entraver son cheminement. Elle aurait pu, comme bien d'autres, dire : «Non ça ne marchera pas, je n'ai plus l'âge de recommencer à entreprendre des projets, je veux la paix.» Toutefois, cette flamme qui dormait en elle s'est ravivée parce qu'elle l'alimentait. Sa décision était plus forte que tout, elle était sûre de son choix et était désabusée de la vie qu'elle menait.

Le cas de Paul est différent puisqu'il a réalisé son inertie dès l'âge de 25 ans. Vendeur dans un magasin d'instruments de musique, il ne trouve aucun intérêt à poursuivre cette carrière. Ayant eu une formation en électronique, il aimerait réparer des appareils mais aucun emploi n'est actuellement disponible dans ce domaine. Il est un excellent musicien mais ses parents l'ont toujours découragé de poursuivre une telle carrière prétextant qu'elle n'offrait aucune sécurité. Comme il voulait travailler et que le seul poste répondant à ses aptitudes était celui de vendeur, il s'était plié aux exigences de la vie.

Comme je suis musicien, j'étais allé voir les nouveaux instruments de musique dans le magasin où travaillait Paul. Lorsque je l'ai rencontré, son visage laissait paraître l'insatisfaction qu'il avait face à son travail et face à lui-même. Il ne me vendait pas l'efficacité des claviers que je regardais mais plutôt leurs capacités électroniques. Lorsqu'il parlait de détails techniques, son regard s'allumait. À mon humble avis, il n'avait aucun talent de vendeur. Son talent et sa passion pour l'électronique étaient en train de mourir au fond de ce local.

C'est au moment où je lui ai dit qu'il semblait très compétent en éleconique qu'il m'a annoncé qu'il avait suivi un cours mais qu'il ne trouvait pas de travail. «Depuis deux ans je travaille ici et aucune chance ne s'offre à moi alors je devrai me faire une idée», me dit-il. Je lui ai suggéré de faire le travail à son compte mais il m'a répondu : «Qui va me donner une paie à chaque semaine?» Selon moi, il était bien mal parti s'il voulait réussir. Et si tu offrais tes services à plusieurs endroits comme travailleur autonome, peut-être qu'ils considéreraient l'idée puisqu'ils n'auraient pas un salaire élevé à payer chaque semaine. Chaque boutique n'aurait qu'à débourser la somme équivalant au travail que tu aurais effectué pour elle.

Cette proposition ne laissait pas Paul indifférent. La sécurité dont il avait besoin, donc son salaire, il pouvait la retrouver en conservant son emploi. Par contre, le soir, il se montait une banque de clients. Le jour où il ne pourrait plus suffire à la demande, il n'avait qu'à abandonner son emploi de vendeur. Paul fit donc ce que je lui avais suggéré. Deux mois plus tard, il donnait sa démission à son gérant et partait donc sa propre entreprise. Ça fait maintenant quatorze ans que Paul est son propre patron et il n'a jamais manqué de travail. Il a fondé une famille et est le père de cinq enfants.

Paul existait. Il n'avait plus de vie et s'était résigné à son sort. Il ne croyait plus jamais être capable de travailler dans le domaine pour lequel il avait investi tant d'heures d'apprentissage. À toutes fins utiles, la mission de Paul était morte. Il fallait le réincarner par la motivation. Il avait un rêve mais pas de but. Il voulait travailler en électronique mais ne prenait pas tous les moyens nécessaires pour y arriver. La sécurité que ses parents lui avaient fait valoir pendant son enfance l'avait empêché de croire un seul instant qu'il pouvait être son propre patron et exploiter ainsi son potentiel au maximum.

L'amour que l'on a pour un métier, une carrière ou une profession devrait nous donner la motivation de réussir pleinement. Si ce n'est pas le cas, on fait alors face à un problème comportant deux volets. Le premier volet consiste à réaliser que le travail que l'on fait n'est pas exactement ce à quoi l'on s'attendait avant de l'exercer. De ce fait, les grandes attentes se transforment en désillusions. C'est le début de la fin, puisque le rêve s'éteint graduellement.

C'est le cas d'Alain qui, dès son adolescence, se voyait faire de la radio. Il s'exerçait à la maison avec un système qu'il s'était lui-même fabriqué. Il écoutait la radio et changeait de station dès que la musique commençait. Ce qu'il voulait entendre, c'était la voix des animateurs, leur diction, leurs intonations. Il se rendait à la station locale pour y ramasser les bulletins de nouvelles dans les paniers à papiers et lorsqu'il revenait à la maison, il s'exerçait à les lire. Il avait un désir fou de réussir.

À dix-huit ans, il eut enfin sa première chance. Il était ce que l'on appelle dans le métier le «morning-man». Il devait se lever à 4 heures 30, six matins sur sept. De plus, il avait une émission à 19 heures tous les soirs de la semaine, ce qui l'obligeait à quitter la station vers 21 heures 10. Alain n'avait pas de difficulté à suivre ce rythme. Plus encore, il restait au poste pour enregistrer des messages publicitaires et, quand il n'y avait rien à faire, il se servait du studio de production pour s'exercer. La radio, c'était sa vie.

L'équipe de travail était merveilleuse et tout le monde s'entraidait. Puis, un jour, comme toute personne désireuse d'évoluer dans sa carrière, il prit le chemin de la grand ville pour un poste de nuit qui promettait des avantages au point de vue professionnel. Après deux ans, Alain était toujours confiné au même emploi. Devant sa déception, le directeur de la station lui a offert un poste de jour, mais à la discothèque. Il aurait à s'occuper de classer les nouveaux disques qui arrivaient à la sation. Alain a accepté mais, après quelque temps, il s'est senti bien malheureux hors des ondes. Les coups bas que se portait le personnel donnaient une très mauvaise image du monde radiophonique à Alain. Il venait de s'apercevoir que ça jouait dur dans les ligues majeures. Il réalisait que l'amitié et l'entraide qu'il avait connues dans une station de province n'avaient pas leur place dans ces rangs.

Tous voulaient avoir la meilleure émission, le meilleur salaire et, surtout, être le plus connu. L'attitude naturelle qu'il avait connue avec ses anciens confrères de travail était maintenant remplacée par la prétention et le snobisme. Plus personne n'était vrai. Ils jouaient tous et chacun un personnage qui n'était foncièrement pas eux. Ils tenaient des propos hargneux envers leurs collègues et souriaient hypocritement lorsqu'ils les rencontraient. Le monde propre et beau qu'Alain s'était fait de la radio venait de s'écrouler. Petit à petit, Alain perdait la motivation qu'il avait de travailler dans ce domaine. Son expérience avait été désastreuse. Quelques années plus tard, il a repris le micro mais il ne s'est plus jamais senti aussi bien. Il a tenu environ cinq ans, puis s'est trouvé un emploi dans un monde tout à fait différent où il est maintenant heureux.

L'amour qu'il avait pour sa carrière lui avait donné des ailes pour foncer jusqu'au bout, mais les attentes d'Alain étaient différentes. Dans le présent cas, ce sont les gens qui ont démotivé Alain face à sa carrière. Par contre, d'autres éléments auraient également pu influencer la décision d'Alain. S'il n'avait pas été capable de supporter de travailler de nuit, il serait peut-être parti. Si l'instabilité de cette carrière l'avait perturbé, il n'aurait pas eu le caractère de poursuivre. Vous reconnaissez là des gens que vous côtoyez tous les jours? Vous vous reconnaissez peut-être? Peu importe, l'important, c'est de ne pas se laisser emporter par le courant. C'est-à-dire, lorsqu'un travail devient insupportable, il faut réviser ses intérêts. J'ai vu des gens mourir malheureux à cause de leur travail car ils ne voulaient pas agir pour s'en sortir.

Je sais que ce n'est pas facile mais qui vous a dit que ça devait être facile? Les meilleurs vendeurs vous le diront, la chose que les gens détestent le plus, c'est de prendre des décisions. Comme quitter un emploi, même si c'est pour son bien-être, c'est une décision qu'il faut prendre. Eh bien! on préfère fermer les yeux et ignorer le problème. La vie est trop courte pour la gaspiller à faire des choses qui ne nous plaisent pas. Quand on pense que l'on passe le tiers de sa vie au travail, il est important d'aimer ce que l'on fait.

Si le premier volet de notre problème de motivation c'est l'accomplissement d'un travail qui ne correspond pas aux attentes que nous avions, le second c'est l'évolution déconcertante de notre emploi. Pour vous tracer le tableau très concret de ce phénomène, je vous conterai l'histoire de Pierre qui avait eu, dès l'âge de 18 ans, la piqûre de la vente. Son père, qui avait été représentant toute sa vie, vantait souvent les mérites de cette carrière.

Pierre eut donc la chance de commencer très jeune dans la représentation et devint vite maître dans l'art d'offrir son produit. Il accomplissait son travail avec passion et ne cessait de parfaire sa formation en suivant des conférences et des cours en ce sens. Un jour, il eut une offre d'un de ses clients qui lui demanda de venir travailler pour la succursale de l'entreprise dont il était directeur. Il s'agissait là d'une multinationale bien connue qui offrait des avantages incomparables. Pierre fit donc le grand saut. Pendant deux ans les affaires de Pierre allaient comme sur des roulettes. Fonctionnant avec un système de commissions, il avait déjà gagné après six mois de travail ce qu'il touchait en un an à son ancien emploi. Il avait un territoire intéressant qui lui permettait de voyager. La compétence qu'il avait acquise dans le passé lui procurait une certaine indépendance. Un jour, un des grands patrons de la maison mère a décidé de changer certaines règles et dispositions relatives au travail. C'est ainsi que la démotivation s'est installée.

Pierre avait un large territoire, ce qui lui permettait de faire des affaires d'or, et la direction venait de décider qu'elle le divisait en deux pour des raisons de stratégie. En effet, si le représentant partait pour se mettre au service d'un compétiteur, le terrain à regagner devenait ainsi moins grand. Pierre venait donc de voir son salaire coupé de moitié. De plus, la direction avait décidé que les représentants devaient fournir des rapports quotidiens sur les clients qu'ils visitaient. La frustration s'installait en Pierre qui voyait dans ce geste un manque de confiance flagrant. De plus, il avait tant de kilomètres à parcourir dans une journée qu'il se demandait où il prendrait le temps de rédiger ses fameux rapports.

Le travail qu'il avait consacré pour bâtir ce territoire allait rapporter à un autre représentant qui arrivait de nulle part et qui aurait tout cuit dans le bec. Cette injustice allait démotiver Pierre qui, après seulement cinq mois de l'entrée en vigueur des nouvelles règles, allait s'orienter vers une autre compagnie. Fort de l'expérience qu'il venait de vivre, il a bien pris soin d'établir un contrat avec ses nouveaux patrons pour ne pas subir le même sort une seconde fois. Pour sa part, il est toujours dans la représentation et il est plus heureux que jamais.

Dans cette situation, Pierre aimait son travail mais l'établissement de nouvelles règles du jeu venait annihiler son ambition. Encore une fois, vous retrouvez peut-être des amis dans cet exemple ou vous reconnaissez une étape de votre vie. Toutefois, peu importe la cause, la démotivation est une sorte de mort lente qui nous réduit à rien. Pierre a su se prendre en main et se donner une deuxième chance. Il s'est réincarné dans la motivation et a retrouvé là un sens profond. Bien des gens sombrent dans la dépression lorsque le travail qu'ils effectuent ne leur plaît pas.

C'est le cas de Michèle, qui est à l'emploi d'une entreprise gigantesque. Pendant toute sa jeunesse, elle avait rêvé d'immobilier et de voyages. Comme elle ne trouvait aucun poste en ce sens, elle a fait une demande d'emploi dans une entreprise où elle eut un poste de réceptionniste. Embauchée dans la vingtaine, soit tout juste à la fin de ses études, elle gravit très rapidement plusieurs échelons au sein de cette compagnie. On lui donnait de la formation et elle cumulait des fonctions de plus en plus rémunératrices.

Comme la plupart des êtres humains l'auraient fait, elle compensait le manque d'intérêt et de passion pour son emploi par des achats et des sorties afin d'oublier son train-train quotidien. Malgré tout, elle n'était pas particulièrement heureuse de son sort puisqu'elle passait la plus grande partie de son temps à son travail, donc frustrée et oppressée. Elle parlait beaucoup de ce qui n'allait pas dans son travail, de la passion qu'elle avait pour les voyages mais, elle ne réagissait pas davantage. Elle attendait. Mais quoi au juste? Elle attendait l'occasion. Quelle occasion? Elle-même ne le savait pas.

Ce n'est pas facile d'agir, de passer aux actes. Se plaindre de son sort et critiquer la vie nécessitent moins de courage. De plus, on a la sympathie et l'attention de ceux qui nous entourent. Tout le monde nous plaint et est compatissant avec nous. On finit par croire qu'on fait pitié et qu'on est démuni par rapport à l'humanité. Notre moral subit la même influence et la dépression s'installe progressivement. On n'a plus le goût de rien, on devient fatigué et sans vie. La tristesse nous ronge alors que nous avons un potentiel fou qui dort à l'intérieur de nous.

C'est alors qu'il faut réincarner ces individus par la motivation, les aider à faire le saut qui les propulsera dans le monde de la passion. Il faut établir leurs priorités, c'est-à-dire leur poser la question à savoir si l'emploi qu'ils occupent est essentiel à leur survie? Si la réponse est négative, ils doivent fixer leurs buts et élaborer un plan d'action. Ils doivent reprendre confiance en eux et connaître leurs possibilités, ils doivent être honnêtes envers eux-mêmes et analyser froidement leur potentiel.

Ainsi, ils pourront se réaliser pleinement et évoluer à tous les niveaux. Après tout, le but de notre passage sur cette terre n'est-il pas *l'évolution*? Je constate que beaucoup de gens ne veulent pas évoluer. Comme je le dis lors de ma conférence «SE RÉALISER», évoluer c'est prendre de la maturité, c'est voir les choses autrement, et c'est aussi vieillir. Alors ceux qui ont peur de vieillir ont, en réalité, peur de la mort, donc ils se refusent à toute évolution. Ils n'aiment pas le changement et encore moins le risque. Ils préfèrent s'incruster dans la stabilité et la routine.

Il est évident que plus on s'engage et plus on fait bouger les choses, plus on est conscient de la vie. Plus la vie crie qu'elle est présente, plus on sait très bien que, dès que la vie est là, la mort attend à l'autre bout. C'est la raison pour laquelle la majorité des gens préfèrent se fermer les yeux plutôt que de jouir de sa présence. Les êtres humains en général ne s'intéressent pas à la réincarnation dans le sens propre du mot. Imaginez, s'il fallait que je leur dise qu'ils pourraient se réincarner alors qu'ils sont encore sur la terre! Ils préfèrent demeurer inconscients face à ce phénomène. Le secret d'une vie saine et heureuse, c'est la sensibilisation à la vie. C'est de savoir qu'il existe une force incontrôlable qui nous meut.

La motivation, ce n'est pas de l'optimisme aveugle. C'est, bien au contraire la vision, pour ne pas dire la visualisation, de l'aboutissement de nos performances. La motivation, c'est la foi en nos possibilités et en une énergie puissante qui nous anime pendant une période de temps donnée. Cette foi transporte tous ceux qui s'y rattachent. Être motivé, c'est vouloir accomplir quelque chose sans compter les efforts mais en ne regardant que le but.

L'autre jour, j'observais une fillette de cinq ans qui tentait de se procurer une gomme à mâcher dans une machine distributrice. J'étais étonné de voir tous les efforts qu'elle pouvait mettre pour atteindre son but. Tout d'abord, n'étant pas assez grande pour parvenir à déposer sa pièce de monnaie dans l'ouverture, elle enleva ses bottes et son manteau, les déposa par terre en un petit tas afin de monter dessus et de gagner les quelques centimètres qui lui manquaient. Elle grimpa sur son monticule improvisé et tenta d'insérer sa pièce de monnaie. La montagne de linge s'écrasant sous son poids, elle n'eut d'autre choix que de réviser ses positions. Elle s'était donné comme objectif de se procurer une gomme par elle-même et elle comptait bien y arriver.

Elle vit une petite boîte de carton vide à l'entrée d'une boutique. Voilà, elle venait de trouver la solution à son problème. Elle enleva les vêtements qu'elle avait déposés sur le sol et monta sur la boîte. Je croyais qu'elle venait de gagner son combat mais lorsqu'est venu le temps de tourner la manivelle pour actionner le mécanisme, elle n'avait pas assez de force. Elle dut utiliser ses deux mains. Lorsque la gomme à mâcher est descendue dans le réceptacle, la petite fille ne pouvait la voir car il y avait un petit panneau qui l'empêchait de tomber par terre. De ce fait, elle cognait avec son poing pour récupérer le bien qu'elle avait payé. Son père est arrivé quelques instants plus tard et lui a expliqué le fonctionnement de la distributrice.

Même si cette scène ne dure que quelques secondes lorsque je la raconte, en réalité, elle dura beaucoup plus longtemps. Ce qui m'a surpris le plus de cette situation, ce sont les efforts que cette enfant a faits pour obtenir ce qu'elle voulait. Si on analyse toutes les étapes par lesquelles elle est passée, on s'aperçoit qu'elle a tout d'abord fait face à un désir, puis à un problème, ensuite elle l'a affronté en improvisant à deux reprises un marchepied. Si on s'arrête, tous ces efforts n'ont été faits que pour obtenir une gomme à mâcher! Ce phénomène de persévérance est propre aux enfants. Lorsqu'ils veulent quelque chose, ils font tout ce qui est en leur possible pour l'obtenir.

On devrait tirer beaucoup de leçons des enfants. Ils sont des exemples vivants de motivation. Ils ont toujours le goût de quelque chose de nouveau et prennent tous les moyens qui leur sont permis pour le posséder. Ils cèdent rarement. Ceux qui ont des enfants sont à même de le confirmer. Si un enfant veut obtenir votre permission pour aller chez un ami et que vous refusez prétextant qu'il est trop tard, regardez la scène à laquelle vous aurez droit. Il trouvera tous les arguments logiques et raisonnables afin de vous convaincre.

Si vous n'acceptez pas, il vous talonnera jusqu'à ce qu'il trouve satisfaction. Par ailleurs, si vous demeurez sur vos positions et qu'il poursuit son argumentation, il se peut que vous perdiez le contrôle. Alors, comme l'enfant connaît vos limites, il arrêtera son cirque juste avant que vous soyez rendu à bout de nerfs. Les enfants ont cette faculté de sentir la capacité de résistance de leurs parents.

C'est aussi à travers les enfants que je prouve mon principe de réincarnation par la motivation. Les enfants ont un plein d'énergie débordant. On peut le constater facilement, simplement en jouant avec eux. Après quelques minutes on n'en peut plus et on aimerait arrêter, mais eux ils veulent continuer et sont aussi en forme qu'au début. C'est alors qu'on dira qu'ils sont pleins de vie. Puisque nous avons été enfants nous aussi, qu'est-ce qui a fait que nous avons changé? Pourquoi ne sommes-nous plus débordants d'énergie? Nous dirons avec facilité que c'est l'âge qui a fait effet.

Le vieillissement de notre corps ne doit pas influencer le vieillissement de notre cerveau. Lorsque nous devenons adultes, la société nous dicte notre conduite; nous devons être sérieux. Et voilà qu'une foule de règles viennent hypothéquer notre vie. Par un matin d'hiver, on annonçait à la radio que le thermomètre atteignait les moins vingt-cinq degrés Celsius, avec des vents qui donnaient un facteur de refroidissement de moins quarante. Ma première réaction, et ça aurait sans doute été la vôtre, a été de me dire que ce n'était pas un temps pour sortir. De ce fait je m'assieds à mon bureau et je me mets à écrire. Tout à coup, je perçois une ombre à ma fenêtre. Je lève la tête et ne voyant rien, je poursuis mon travail. Quelques instants plus tard, je la perçois à nouveau. En levant la tête j'aperçois des enfants qui glissaient dans la montagne derrière la maison.

Être dehors et trouver du plaisir à glisser lorsqu'il fait moins quarante, c'est insensé! Si au moins ils avaient été à l'extérieur parce qu'ils y étaient obligés. C'est du moins la première réaction que j'ai eue. Après réflexions, je me suis rappelé mon enfance. Dès la sortie de la classe nous allions jouer dans la neige pendant des heures, nous revenions juste pour le souper et repartions précipitamment, souvent en remettant les mêmes vêtements humides dans lesquels la neige avait fondu. Je me souviens dans quel état j'étais lorsque je revenais à la maison pour faire mes leçons et mes devoirs. Mes bottes étaient pleines de neige, j'avais les pieds froids, la neige qui avait adhéré à mes mitaines en laine s'était transformée en glace et j'avais les cheveux mouillés sous ma tuque.

Quelques années plus tard, soit à l'adolescence, je ne mettais plus de mitaines, ni même de tuque et je sortais sans foulard. Puis, à l'âge adulte, je mettais maintenant des bottes qui avaient un certain «chic». J'ai recommencé à mettre des gants mais jamais je n'ai revécu les folies de mon enfance. Pourquoi? Qui ou quoi nous l'interdit? La société ou nous-mêmes? «Voyons, on n'est plus des enfants pour jouer dans la neige. Pourquoi? Parce que.» Même l'été, j'ai peine à croire que des gens vont à un «garden party», se baignent, mais ne veulent pas mouiller leurs cheveux. Quand on est jeune on a le droit, mais quand on est adulte c'est plus pareil!

Notre conception de la vie est très erronée. Les enfants vivent pleinement; nous, on vit à mi-temps. On s'invente toutes sortes de principes, on les croit et on embarque dans le jeu. Alors, pour faire bien, mais surtout pour se dissocier des enfants, on agit en adultes. Mais qui a tracé les règles de la conduite adulte? Pourquoi devons-nous nous retenir, car c'est ce que l'on fait? On s'empêche d'avoir du plaisir et de vivre pleinement pour répondre aux normes établies. Je sais que plusieurs me diront qu'il faut évoluer dans la vie et qu'on ne doit pas rester accroché à son enfance. Je suis d'accord en ce qui concerne le développement mental, mais pas au prix de la joie de vivre. Selon moi, il y a une différence entre rester accroché à ses 15 ans et devenir adulte tout en continuant à garder sa spontanéité.

À ce sujet, j'aimerais vous parler d'un ami que je nommerai, pour la circonstance, Luc. Il représente depuis plusieurs années une importante compagnie et accroît son potentiel de ventes d'année en année. Il a un excellent sens des responsabilités et conjugue très bien avec la société. Toutefois, il a gardé son côté «enfant». Pour mieux le définir, il est spontané, vivant, moqueur, parfois excessif, encore émerveillé, curieux et insatiable. Malgré tout, il assume pleinement ses responsabilités et sait faire la différence entre le travail et les activités.

Selon moi, c'est la manière dont on devrait tous prendre la vie. Pourquoi s'empêcher de s'amuser parce qu'on est un adulte? C'est notre volonté de séduire qui entre fortement en ligne de compte et influence nos comportements. Pourquoi vouloir être bien coiffé si on va à la piscine pour s'y baigner? Pourquoi se remaquiller en sortant de l'eau? Notre fierté nous freine constamment. Elle nous mène à une mort prématurée. Ce sont ces gens que j'essaie de réincarner par la motivation. Ceux qui ne peuvent vivre sans se préoccuper de leur apparence extérieure. Je souhaite qu'un jour ces gens comprennent que la vraie beauté d'un être humain ça ne se voit pas à l'oeil.

La vie, une question de conception

Où est le bien, où est le mal? Qui peut vraiment répondre à cette question? La vie comporte un nombre impressionnant de contradictions auxquelles nous devons faire face à tous les jours. Mais en réalité, tout n'est qu'une question de conception. Le plus bel exemple en ce sens me vient d'un ami, compositeur de musique contemporaine, qui m'expliquait les raisons du choix du titre de sa dernière oeuvre. Alors que nous étions attablés à déguster un bon repas, il philosophait sur sa vision du monde.

Il a commencé son annotation en s'appuyant sur la vie des fourmis. Si on examine minutieusement le fonctionnement de ces insectes, on s'aperçoit qu'ils travaillent dans un rayon d'au plus soixante-dix mètres. Chacun d'eux fait le travail qui lui a été confié. Il commence à l'aube et termine à la brune. Les fourmis travaillent sept jours par semaine et ne sont conscientes que de ce qu'elles font. Pour elles, il n'existe pas autre chose, hors du périmètre qu'elles occupent. Leur vie est strictement reliée à l'endroit où elles établissent leur nid. De ce fait, leur vision de la terre est bien restreinte. Lorsque nous regardons ça avec nos yeux d'humains, nous ne pouvons croire qu'elles ne voient au cours de leur vie qu'un si petit coin de terre.

Il en va de même pour nous, les êtres humains. Notre perception du monde est en fonction de notre culture, de notre situation géographique, de notre religion et de notre régime politique. Tous ces aspects, vus d'une autre planète, seraient probablement ridicules. Un autre exemple de différence des conceptions c'est le langage. Si on essaie de lire un texte espagnol on ne devra pas interpréter les lettres de la même manière qu'on le ferait si le texte était écrit en français. De ce fait, les «B» se prononceront «V», les «J» se prononceront «R» et les «X», comme des «H». Même si on voit un texte écrit avec les mêmes symboles, chacun d'eux ne représente pas la même consonance.

À la lumière de ces exemples, on est porté à croire que les Mexicains se compliquent la vie. Mais sur quoi peut-on se baser pour prétendre que c'est nous qui avons raison de prononcer la lettre «B», bé ? Depuis notre enfance on nous impose des images dont on nous donne l'interprétation. Naïvement, nous acquiesçons à ces affirmations sans nous questionner. Avec le temps, ces symboles sont si bien assimilés qu'il ne nous vient jamais à l'esprit de les contester. C'est dans le même sens que les fourmis ne contesteront jamais l'étendue de leur territoire. Elles ne connaissent rien d'autre et agissent en fonction de leur monde.

La vie est une question de conception. C'est la façon de voir une chose qui lui donne son importance et son sens. Ainsi, on s'empêchera de vivre d'une manière, ayant été convaincu depuis l'enfance que ce n'est pas correct. Ou on n'osera pas quitter son emploi pour partir à son compte prétextant que ce n'est pas sûr qu'on réussira. Ceux qui croient à cette dernière théorie ont intérêt à ne pas partir en affaires car, déjà au départ, leur attitude est négative. De ce fait, les idées qu'ils entretiennent et qui sommeillent en eux finiront un jour par se concrétiser. La conception qu'ils ont de la réussite est chancelante et les résultats qu'ils obtiendront ne pourront être supérieurs aux limites qu'ils s'imposeront.

Les jeunes enfants sont beaucoup plus indulgents que les adultes. Ils conçoivent la vie d'une manière plus humaine. Si vous réunissez des enfants de couleurs différentes dans un endroit, ils s'amuseront tous ensemble. Le racisme et les préjugés ne font pas partie de leur idéologie. Compte tenu de leur jeune âge, ils n'ont jamais subi l'influence du monde. Ils ne se mettent pas de barrières et fraternisent facilement. J'écoutais des jeunes de 11 ans qui étaient interviewés à la télévision relativement à un échange étudiant auquel ils avaient participé. Ils revenaient de Vancouver et l'animateur leur demandait s'ils avaient vu une différence entre les gens de Vancouver et les Québécois. Spontanément ils ont répondu «non», à part la langue il n'y a pas de différence.

Comme la vie est une question de conception, je ne suis pas sûr que la réponse aurait été la même si on avait posé la question à un adulte. De son côté, il aurait analysé la question d'un aspect politique, social et culturel. Les fameuses images dont nous sommes inondés depuis notre enfance joueraient ici un rôle important. Les idées qu'on nous soumet quotidiennement auraient influencé notre réponse. À la naissance nous sommes bons, la société se charge de nous changer. C'est pourquoi, au fond de nous tous, on s'émerveille devant l'ingénuité du bébé.

Il représente la sincérité que tous aimeraient posséder. Son innocence le rend heureux devant la moindre trouvaille, il n'a pas besoin de mille et un trucs pour connaître la joie. Sa curiosité le pousse à découvrir à tous les jours sans avoir *peur*. Il veut tellement savoir, qu'il explore et ne craint pas le mal. Il est l'exemple même de la bonté car il n'a pas encore été confronté à la méchanceté et à la haine. Les défauts que possède l'adulte ne lui ont pas encore été enseignés. Il ne demande qu'à être aimé. Il ne donne rien en retour à part du bonheur. Même si on croit qu'il nous donne beaucoup d'amour il n'en est rien. Il ne fait qu'enregistrer les comportements humains et il les imite. Ce qu'il veut pour le moment, c'est survivre. Les gestes qu'il fait sont strictement narcissiques. S'il a soif à deux heures de la nuit, tout le monde doit se lever et avoir soif à la même heure que lui. Ce n'est que vers l'âge de deux ans qu'il aura enregistré suffisamment de données pour être en mesure d'évaluer ce qu'est l'amour.

Après cette période, il continuera à exprimer son amour selon les standards qui lui auront été inculqués par ses parents. Après une certaine incursion dans la société, il développera ses propres critères. Selon les valeurs apprises, il adoptera un amalgame des stéréotypes familiaux et sociaux. Ses sentiments seront basés sur la conception de l'amour qu'on lui a inculquée dès son jeune âge. C'est ce qui explique que les enfants de pères batteurs de femmes deviennent parfois eux-mêmes des batteurs de femmes.

L'être humain agit par imitation. De ce fait, la conception qu'il a du monde est relative à ses expériences et à l'évolution de ses proches. Il jugera tous les événements et toutes les situations à partir des données qu'il a préalablement enregistrées. Plus sa banque d'informations est grande, plus son discernement sera précis. Plus il est ouvert à de nouvelles idées, plus il élargira sa banque de données. Tout ceci est également en étroite relation avec la culture dans laquelle il est élevé. Juste pour vous donner un exemple, un juge occidental et un juge indien ne donneraient certainement pas la même sentence à un individu qui aurait tué une vache.

Donc, la vie terrestre est donc étroitement reliée à la conception que nous en avons. La question qui pourrait vous venir à l'esprit actuellement est la suivante : Si la culture et le milieu familial sont les sources d'inspiration de notre conception de la vie, pourquoi sommes nous tous si différents au sein d'une même famille? La réponse est à la fois simple et compliquée. Le cerveau n'enregistre pas toutes les données de la même façon. Par exemple, tous les enfants ont un grand besoin d'amour et d'attention. Pour bien comprendre, je donnerai les lettres «A» et «B» aux deux enfants qui me serviront d'exemple.

Pour combler son besoin affectif, «A» peut avoir besoin de cinq minutes d'attention à l'heure. Le parent qui porte une attention concentrée à cet enfant le satisfait donc pleinement. Pour sa part, «B» peut avoir besoin de plus de temps avec son père ou sa mère, peu importe la qualité de l'attention portée lors de ces moments. Déjà, son cerveau enregistre les comportements différemment. Pour lui, la sécurité c'est de savoir qu'il y a toujours une présence, peu importe sa qualité. Par ailleurs, «A» ne se satisfait pas des moments d'attention sporadiques mais de qualité. Il est important pour ce dernier que les intervalles de ces moments soient réguliers.

Si ces enfants n'ont pas une attention équilibrée, ce qui n'est pas facile à déceler puisque leurs besoins sont différents, ils développeront des troubles psychologiques légers comme nous en avons tous, c'est-à-dire, manque de confiance en soi, insécurité ou mauvaise image de soi. Ce n'est pas facile d'être le parent idéal comme on nous le montre à la télévision. Il faut user de psychologie et prendre le temps d'analyser le comportement de ses enfants. Trop de parents analysent ces comportements dans l'unique but de conter ces finesses aux parents et amis. Ils ne concluent rien de certaines manifestations de l'enfant et, à l'opposé, encouragent plutôt le développement de lacunes majeures chez lui.

Les troubles psychologiques peuvent devenir plus sérieux si l'enfant a un besoin énorme d'amour et que ses parents ne le comblent pas. Je ne prétends pas que dans ce cas les parents n'ont pas donné d'amour à l'enfant, mais ils n'ont pas su remplir son besoin adéquatement. L'enfant ne se sent pas accepté totalement et c'est alors qu'apparaîtra, lorsqu'il aura atteint l'âge adulte, la schizophrénie, c'est-à-dire une dégradation psychique caractérisée par l'ambivalence des pensées et des comportements et par la difficulté de s'adapter à la réalité extérieure. Le manque de confiance flagrant qu'aura acquis le schizophrène se sera développé davantage que chez la moyenne des jeunes.

Ce qui veut donc dire que notre conception primaire de la vie est innée. De ce fait, nous partons avec un certain bagage de traits destinés à établir notre personnalité. Ces caractéristiques sont à l'état brut, c'est là que l'entourage et la famille entrent en ligne de compte relativement au développement de celles-ci. Le même être humain éduqué dans une autre famille ou dans un autre pays ne donnera pas les mêmes résultats au point de vue de la personnalité. C'est la raison pour laquelle tant de gens ont un potentiel énorme et ne l'exploitent pas. Ils n'ont pas reçu le taux de confiance adéquat par leurs parents, ce qui résorbe leur évolution.

Les caractéristiques de base sont latentes et comme elles n'ont jamais été développées, l'individu croit ne pas les avoir. Il doute alors de ses capacités et n'ose entreprendre aucun projet. Il dit connaître ses capacités mais les limites qu'il connaît sont celles qu'il s'est toujours imposées. Les données sont alors faussées et l'individu traverse sa vie en étant convaincu de ses idées.

C'est le cas de cette secrétaire de 42 ans qui croit être «destinée» à faire ce travail toute sa vie. Qu'est-ce que je peux faire d'autre? dit-elle. J'ai étudié pour devenir secrétaire, puis j'ai travaillé dans ce domaine depuis ma sortie de l'école. Je n'ai rien connu d'autre! J'adore la décoration et j'aimerais devenir décoratrice d'intérieur mais je serai obligée de suivre des cours du soir et ça va prendre beaucoup de mon temps. Je vais sortir de l'école et j'aurai 44 ans.

Comme je le dis souvent : quel âge aura-t-elle dans deux ans même si elle ne suit pas son cours? En plus d'avoir ses 44 ans, elle sera toujours secrétaire! En réalité, elle n'est pas intéressée à laisser ce qu'elle possède actuellement pour se diriger vers l'inconnu. La sécurité qu'elle vit est beaucoup plus rassurante qu'une éventuelle autonomie. Elle voudrait obtenir le bonheur et l'indépendance dont elle rêve mais elle ne veut rien troquer de son état actuel. Je ne connais personne qui puisse réussir sans déplacer quoi que ce soit. L'homme d'affaires échange de l'argent contre des parts à la Bourse pour, peut-être, faire plus d'argent. Le musicien s'exerce des heures et des heures pour améliorer sa dextérité. L'athlète s'entraîne quotidiennement pour battre son propre record. On ne peut s'imaginer améliorer ses conditions sans investir quoi que ce soit.

Cette secrétaire est l'exemple typique de la majorité. Ce qu'elle demande, c'est de changer de carrière, être sûre à l'avance que tout va bien aller, augmenter son salaire ou tout au moins conserver le même, ne pas avoir plus de responsabilités et maintenir les avantages que son emploi actuel lui donne. En échange, elle n'offre rien. Si la réussite de la vie était si facile, personne n'hésiterait à faire le saut. Tous feraient un travail qu'ils aiment et seraient parfaitement heureux. Mais, comme nous devons mériter ce que nous voulons, nous devons faire des efforts.

C'est alors que cette secrétaire aura une mauvaise conception de ce qu'est la vie. Elle dira qu'elle est injuste puisqu'elle a toujours rêvé d'être une décoratrice et que la vie a voulu qu'elle soit une secrétaire. Le destin n'a pas joué en sa faveur. Ses parents auront réussi à lui inculquer le principe de la chance qui veut qu'on soit né pour un petit ou un gros pain. «Si tu es né pour un petit pain, n'essaie pas de t'en sortir, tout ce que tu feras te ramènera à la case départ.» Voilà comment la plupart des gens pensent encore de nos jours. Ils s'imaginent qu'il y a une présélection de faite.

Avant même que tu naisses, une force décide comment tu seras : toi tu seras un clochard et tu resteras dans la rue, toi tu habiteras un appartement, toi une maison unifamiliale et toi une immense maison. Toi tu te promèneras en limousine, toi en voiture sport, toi en voiture d'occasion, toi à bicyclette et toi je te destine à marcher. Si la vie était ainsi faite, elle ne vaudrait pas la peine d'être vécue. Les récompenses qu'on retire de la vie sont directement reliées à notre façon de la voir. Si nous sommes assurés que nous ne méritons pas la limousine, nous ne ferons rien pour l'obtenir. Il en va de même pour la maison, l'emploi et les autres aspects de notre vie.

Si l'on poursuit sur le plan matériel, on peut dire que dans la vie, on a ce que l'on mérite. Plus on travaille pour gagner des biens, plus on en possède. Sur le plan spirituel, c'est la même chose. Plus on travaille pour évoluer spirituellement, plus on a accès facilement aux réponses cosmiques. Si on voit la vie d'une manière matérialiste, on ne recevra que des réponses correspondant à des aspirations humaines. Par contre, si les interrogations que nous avons sont d'ordre spirituel, les réponses parviendront d'une dimension impalpable et surnaturelle. Notre comportement sera guidé par la conception que nous aurons de la vie. Peu importe que l'on s'appuie sur l'aspect matériel ou spirituel, les réponses qu'on aura seront les bonnes puisqu'on dirigera sa vie selon ses croyances. Ceux qui croient au matérialisme seront confrontés tous les jours avec des problèmes de cet ordre. Ils passeront à côté du bonheur en essayant de «posséder» des biens. Ils seront malheureux lorsqu'ils ne pourront obtenir ceux qu'ils désirent. Leur physique fera également partie de ce plan matériel et ils devront lui porter une attention particulière.

Ceux qui conserveront une profondeur spirituelle vivront au lieu d'exister. Ils profiteront du bonheur pour le bien qu'il apporte et non pas des biens pour le bonheur qu'il apporte. Ils seront près des vibrations de la vie, ils seront sensibles à tout ce qui est intérieur et ne mourront jamais. Ils aideront ceux qui ne croient pas en la vie, ils comprendront leur attitude et les épauleront pour qu'ils évoluent spirituellement. Ils ne cesseront de faire bouger les choses autour d'eux car la vie, c'est l'animation, c'est le temps qui poursuit inexorablement sa course.

Pour revenir à notre secrétaire de 42 ans, elle n'a que les réponses qu'elle se dicte. Puisqu'elle voit la vie comme une pièce de théâtre déjà écrite, elle se dit victime du rôle qu'on lui a attribué et elle se résigne à le jouer. Selon elle, elle ne peut rien faire pour changer le cours de la pièce. Mais pourquoi est-elle si sûre de ce qu'elle avance? Qui lui a fait accroire une pareille histoire? Pourtant, elle n'est pas la seule à penser de cette façon. L'éducation qu'elle a reçue l'a amenée à réagir ainsi. Par contre, elle peut s'en sortir si elle le veut. Comme dans tous les cas de désensibilisation et de «resensibilisation», seule la personne concernée peut prendre la décision finale.

Tant que son cerveau croira les données qu'il a reçues antérieurement, cette secrétaire ne pourra pas évoluer et ce, à tous les niveaux. Dès qu'elle sera consciente de ses possibilités et qu'elle y croira, sa vie commencera à changer. Les seules limites auxquelles elle fera face seront celles qu'elle s'imposera. Tant qu'il y a un doute dans votre esprit lorsque vous faites quelque chose, il se concrétise.

Pour renforcer mon affirmation alléguant que la vie est une question de conception, je vous ferai part d'un autre exemple, cette fois-ci en rapport avec le monde aquatique. Les poissons qui vivent au fond des mers ne savent pas qu'il y a une activité que les humains pratiquent qui s'appelle la pêche. De ce fait, ils nagent quotidiennement à la recherche de nourriture et lorsqu'ils voient une proie, ils l'avalent. Par contre, s'ils savaient faire la différence entre la proie et l'appât, ils ne se laisseraient jamais prendre. Pour eux, tout ce qui a l'allure, la forme et la couleur d'une pâture en est une. Ils n'ont jamais été mis en garde contre l'hameçon du pêcheur. Leur conception de la vie à l'extérieur de leur territoire est bien élémentaire. Pour eux, tout se passe dans l'eau, avec ses bruits sourds et ses ondes. Ils n'ont jamais vu l'intérieur d'une chaloupe et lorsqu'ils le voient, c'est pour mourir quelques instants plus tard, privés de ce qui est nécessaire à la vie.

Si on regarde ça avec des yeux d'humains, et que l'on fait la transposition de ce phénomène, on s'aperçoit qu'il serait peu probable qu'un homme se lance sur un steak en plastique pour le dévorer. Il sait faire la différence. Il a une conception plus élaborée de la vie. Il peut explorer la terre, la mer, les airs et il profite de cette possibilité. Encore une fois il ne connaît que ce qui l'entoure et ce qu'il voit ou a vu. Il ne peut se défendre de ce qui lui est inconnu. Comme le poisson, il agit en fonction de ce qu'il croit être vrai, même s'il se dirige vers un gouffre.

Voici le plus bel exemple de la conception matérialiste qu'ont la très grande majorité des gens. Combien de fois avez-vous rêvé de gagner une importante somme à la loterie, d'une part, pour votre bien personnel et, d'autre part, pour celui de vos proches parents? En regardant les moins fortunés de votre famille vous vous dites : «Si j'avais beaucoup d'argent je leur en donnerais pour les aider, ce serait pour moi une preuve d'amour et ça les rendrait tellement heureux.» Par contre, l'éventualité de gagner des centaines de milliers de dollars est plutôt faible et vous vous résignez donc à compatir à leur sort.

Cette voie que l'on tente de prendre est la plus simple et la plus facile. C'est le chemin que prend le parent qui donne des permissions, des cadeaux et qui fait des faveurs à son enfant. C'est le passage que prend celui qui n'est pas conscient de que qu'il possède. On entre dans ce jeu sans le réaliser et on s'accroche à cette idée matérialiste. Puisqu'on ne peut pas donner cette importante somme que l'on n'a pas, pourquoi ne pas donner ce que l'on a et ce, dès aujourd'hui? Pourquoi ne pas prendre du temps pour véhiculer, à l'occasion, celui ou celle qui n'a pas de voiture? «Ah non, ça ne me tente pas de faire un détour!» Pourquoi ne pas passer du temps avec une personne qui n'a pas les moyens de sortir? «Ah non, j'ai assez peu de temps à moi, je ne commencerai pas à le passer à m'ennuyer ailleurs!» Pourquoi ne pas accompagner et payer une entrée à une activité, même peu dispendieuse, à une personne qui n'a pas les moyens de se la payer? «Ah non je ne passerai pas mes journées à...»

C'est ce que la plupart de nous diraient. En réalité, on préfère donner une somme d'argent pour se débarrasser des gens et qu'ils s'arrangent par eux-mêmes, que de prendre de notre temps pour faire un geste sincère. L'authenticité de nos actions laisse à désirer. Nous avons le syndrome de la «Fée à la baguette magique.» Nous voulons tout régler d'un seul coup de baguette et sans effort. De ce fait, c'est plus simple de vouloir donner une somme d'argent à ses proches pour qu'ils s'organisent eux-mêmes que de prendre du temps et leur donner le véritable bonheur.

La sympathie que nous avons pour eux est plutôt superficielle. Notre conception de l'entraide est, encore une fois, basée sur des valeurs matérialistes. Selon vous, est-ce plus héroïque de donner de l'argent quand on en a beaucoup que de donner de son temps lorsqu'il est précieux et rare, et que ça demande un certain effort? Alors, la prochaine fois que vous fabulerez sur ce que vous feriez si vous gagniez un million de dollars, agissez maintenant en vous disant que bien des gens sont seuls et aimeraient avoir la présence et l'attention d'une autre personne. Cela ne coûte rien. La seule chose que vous avez à investir, c'est votre temps et ça, je vous jure qu'aucune loterie ne pourra vous en faire gagner.

La bonne et la mauvaise nouvelle

Des centaines et des centaines d'histoires drôles comportent cette phrase : «J'ai une bonne et une mauvaise nouvelle à t'annoncer.» Dans le même sens, la vie nous réserve toutes sortes de surprises. Selon notre attitude, les nouvelles sont bonnes ou mauvaises. Toutefois, comme la plupart des gens voient plus rapidement le mauvais côté des choses, la vie semble leur amener plus de mauvaises que de bonnes nouvelles.

L'exemple le plus marquant que j'ai en tête est celui de mon épouse qui, il y a quelque temps, négociait la location d'un local commercial pour y partir une boutique. Après plusieurs semaines de négociations, elle n'arrivait pas à s'entendre avec les propriétaires afin d'obtenir par écrit l'exclusivité des produits qu'elle voulait vendre. De ce fait, elle mit l'idée en veilleuse. Inutile de vous dire la grandeur de sa déception. Elle vivait «sa mauvaise nouvelle» tous les jours. Moins d'un an plus tard, alors qu'elle passait devant le centre commercial en question, elle vit que toutes les boutiques étaient fermées en raison d'une faillite importante.

Si elle avait investi dans ce projet, elle aurait sans doute tout perdu ce qu'elle possédait. Elle remerciait la lumière qui l'avait empêchée de se battre jusqu'au bout comme elle est reconnue pour le faire habituellement. Ce n'était pas dans sa nature d'abandonner si vite. Une force l'avait guidée.

La mauvaise nouvelle s'était transformée en bonne nouvelle. Chaque fois qu'elle passe devant cet établissement, elle respecte la voix qui lui avait conseillé d'attendre. Cet exemple est digne des meilleurs films d'Hollywood. Je suis de ceux qui prônent la persévérance mais je crois aussi que nous devons écouter notre instinct. Quand on lutte pour arriver à ses fins et que ça ne fonctionne pas, je suis d'accord pour recommencer. Toutefois, lorsque rien ne semble fonctionner et qu'on lutte désespérément, on doit écouter la voix qui nous dicte le chemin de la sagesse.

Les épreuves que nous avons à subir sur terre sont toujours suivies de grands moments de joie. Comme le décrit si bien l'image : il y a le creux et le sommet de la vague. Plus les creux sont profonds, plus les sommets sont hauts. Nous devons apprendre par l'épreuve et nous en servir comme expérience afin d'évoluer plus rapidement. Ceux qui ne retiennent rien de ce qui leur arrive sont constamment remis en situation. Le but de notre passage ici, c'est notre évolution. Si nous ne comprenons pas les messages qui nous sont envoyés, nous ne pouvons les écouter.

C'est le cas de cet homme qui n'amait pas la vie et qui avait des idées suicidaires. Rien n'était bien ou plaisant pour lui, il n'aimait jamais rien. Il n'exploitait pas le potentiel qu'il avait, il le laissait dormir. Il était un véritable parasite. Il ne disait jamais de bien à propos de la vie. Il voulait mourir pour ne plus avoir à la subir. Comme il était en train de passer à côté de l'expérience de la vie, une force supérieure lui livra un message.

Par une belle soirée d'été, alors qu'il roulait en voiture sur une route de campagne, il vit un camion-remorque traverser la courbe qu'il négociait. L'impact fut tel qu'il faillit perdre la vie. Il est demeuré dans un profond coma pendant plusieurs jours. Il avait subi de nombreux traumas au niveau des jambes et des avant-bras. Les médecins savaient qu'il s'en sortirait mais ne pouvaient évaluer le pourcentage de succès de la réhabilitation.

Lorsqu'il reprit conscience, il demanda dans quel état étaient ses mains, si ses jambes fonctionnaient toujours et s'il était cloué à ce lit pour encore bien longtemps. Il se voyait ne plus être en mesure de faire le peu de choses qu'il faisait. Chaque fois qu'il voulait faire un geste, marcher, tenir un verre d'eau ou s'asseoir, il s'apercevait jusqu'à quel point tous les membres de son corps étaient importants. Il ne voulait pas souffrir et encore moins mourir. Il venait de réaliser qu'il tenait à la vie plus qu'il ne l'imaginait et le laissait croire.

Cet accident se voulait un message clair et direct pour lui démontrer qu'il devait respecter la vie terrestre qu'il traverse actuellement. Comme il ne tenait pas à la vie et qu'il menaçait même de se suicider, il fit l'expérience de laisser ce monde. Ce genre d'épreuve n'est intéressant pour personne mais si un être humain ne veut pas comprendre, il doit y faire face implacablement pour évoluer.

Après la réhabilitation, il était plus sensible à la vie et vibrait davantage à ce qui l'entourait. Il appréciait la plus petite fleur et s'émerveillait devant la nature en général. Il tenait à réaliser des choses ici. Il avait enfin compris qu'il avait une mission à accomplir et il était maintenant prêt à la remplir. Il ne voyait plus la vie de la même manière. Il était conscient des êtres autour de lui et il les enveloppait de sa présence. Les valeurs matérielles n'avaient plus beaucoup d'importance pour lui et la vie humaine avait un autre sens.

D'un coup, la vie terne qu'il menait se transformait en lumière. Il avait enfin connu la bonne nouvelle. Il n'y a pas que du négatif dans la vie. On doit retirer le maximum de toutes les situations. Comme je l'expliquais dans le chapitre précédent, la vie, c'est une question de conception. Lorsqu'elle nous parle et nous envoie des messages, c'est à nous d'être sensibilisés à ceux-ci. Nous devons les écouter et nous en servir pour évoluer.

Pour vous donner un exemple plus concret, nous allons imaginer qu'une jeune fille se gave de sucreries. Après quelques heures, elle est malade car son foie ne peut plus supporter les sucres raffinés qu'elle a ingurgités. Elle vient d'avoir un message qui lui dicte de ne pas manger autant de sucreries dans un même temps. Elle est libre de l'écouter ou de passer outre. Si elle ne l'écoute pas, elle retombera malade et aura à subir les mêmes douleurs. Par contre, si elle ne veut plus souffrir, elle n'a qu'à se servir de l'expérience qu'elle a vécue. Cette épreuve qui paraît négative à la base, peut lui sauver la vie à long terme. La mauvaise nouvelle, c'est qu'elle a été malade à manger avec excès et la bonne nouvelle c'est qu'elle sait ce qu'elle a à faire à l'avenir si elle veut demeurer en santé.

Elle a appris, donc elle a évolué. La vie est pleine d'exemples de ce genre. Il faut être à l'écoute de ses messages. Beaucoup de gens préfèrent ignorer ces détails et recommencer les mêmes bêtises. Ils ne veulent pas aller plus loin. Ils aiment leur style de vie plein d'insouciance et d'immaturité. Ce à quoi ils ne s'attendent pas, c'est qu'ils auront à confronter un obstacle plus sérieux éventuellement et ils n'auront pas appris de leurs expériences antérieures. Ils seront alors démunis devant les faits et blâmeront la vie d'être injuste envers eux. Il leur aura fallu tout ce temps et ces problèmes pour être sensibilisés.

La mauvaise nouvelle, c'est qu'un individu dans cette situation fait face à un problème majeur; la bonne nouvelle, c'est qu'il est conscient qu'il existe autre chose que sa petite vie sur la terre. Comme je me plaisais à le dire dans les pages précédentes, il se réincarne par la motivation. Il est devant un fait et ne peut s'en sortir que s'il réagit. Pourquoi toujours attendre que les problèmes surviennent pour passer à l'action? N'attendez pas d'être en fauteuil roulant pour apprécier l'usage de vos jambes, n'attendez pas d'être manchot pour apprécier l'usage de vos mains.

Je remarque que c'est lorsqu'ils sont hospitalisés que les gens saisissent la véritable valeur de leur santé. Avant d'être alités, ils ne réalisent pas jusqu'à quel point ils sont comblés. Ils maltraitent leur corps en lui faisant ingurgiter toutes sortes de nourriture et ils le négligent en étant oisifs. Inévitablement, ils expérimentent ainsi la douleur et les souffrances de la maladie. Un beau matin, ils font un infarctus, une crise d'appendicite ou une trombose et ils se demandent naïvement pourquoi. Ainsi, étendus sur un lit d'hôpital, ils apprennent à respecter davantage leur corps. Ils réalisent qu'ils auraient pu faire attention bien avant. Malheureusement, ça leur aura pris un avertissement aussi sévère pour qu'ils entendent.

L'évolution de la race humaine est bien lente. Elle s'appuie surtout sur les phénomènes physiques, électroniques, mécaniques et médicaux. De nombreuses recherches sont effectuées chaque jour en ce sens. D'ailleurs, depuis les cinquante dernières années, des pas de géant ont été faits. L'homme a réussi à marcher sur la Lune, il a perfectionné le téléphone, les fours, les voitures et j'en passe. Toutefois son évolution spirituelle, celle qui le suivra après son passage sur terre, est demeurée stable. Il ne veut plus perdre de temps à chercher des réponses spéculatives.

Pour apprécier la vie, il faut savoir que l'on en fait partie. La vie, c'est comme un spectacle. Il y a des gens qui organisent le spectacle, d'autres qui en font partie et un plus grand nombre qui sont assis et le regardent, sans oublier ceux qui ne savent même pas qu'il y a un spectacle. Pour ma part, ce dernier groupe est vraiment malheureux. Il fait partie des 30 % de gens qui ne réalisent pas ce qu'ils ont autour d'eux et qui doivent être confrontés à un terrible malheur pour se réveiller.

Pour leur part, ceux qui sont assis et qui regardent le spectacle envient les artistes et préfèrent les regarder en espérant devenir comme eux un jour si la chance leur sourit. Ils aimeraient avoir leur talent, leur maison, leur voiture et leur gloire, mais ils croient que le destin en a jugé autrement. Par ailleurs, ceux qui font le spectacle ne représentent que 10 % de la population. Ils sont très actifs mais pas nécessairement productifs. Ils exécutent à la perfection le travail pour lequel ils ont été assignés. On peut dire qu'ils participent activement à la vie.

Ceux qui organisent des spectacles sont productifs. Ils rassemblent un tas d'éléments afin de pouvoir faire participer le maximum de personnes. Ils aiment faire bouger les choses. La vie est importante et précieuse pour ces gens-là. Ils arrêtent rarement puisqu'ils ont toujours un nouveau projet derrière la tête. Ils ne se contentent pas du déjà vu. Ils adorent les situations qui évoluent et qui amènent de nouveaux défis. Ce sont eux qui orchestrent les plus grands projets et les plus importants changements et ce, à tous les niveaux.

L'enfer ouvre ses portes à ceux qui en ont assez de la vie. Il réserve des surprises à ceux qui ne croient pas en leurs possibilités et celles que la vie leur propose. C'est peut-être ici pour vous une mauvaise nouvelle, mais comme il y en a toujours une bonne, elle est réservée à ceux qui ont toujours su respecter la vie. Tous ne comprennent pas de la même façon. C'est ainsi que l'autre jour j'étais dans un centre d'ordinateurs. Comme je proposais mes ateliers de perfectionnement au gérant, il me disait qu'il ne comprenait pas que des entreprises n'appuyaient pas davantage sur la formation puisque c'était le secret de la réussite.

Il a ensuite fait une relation entre ce fait et l'acquisition d'ordinateurs par des entreprises. Il disait que 10 % des entreprises n'avaient pas d'ordinateurs et n'en voulaient pas. Il m'expliquait que ces entreprises étaient convaincues que l'arrivée d'ordinateurs ne changeraient rien à leurs affaires, même qu'au contraire ça leur donnerait plus de problèmes. Malgré le fait que 90 % des entreprises utilisent régulièrement l'ordinateur et ne pourraient s'en passer, il reste toujours ces 10% qui sont sûrs que leur attitude est la bonne et qui n'essaie même pas faire un effort pour vérifier s'ils ont raison.

Dans le même sens, bien des gens croient avoir la bonne attitude, même s'ils ont 90 % du monde contre eux. Ils sont persuadés que leurs idées sont bonnes et ne veulent pas changer d'opinion. Ils n'évoquent même pas la possibilité d'analyser d'autres possibilités afin de concrétiser ou de renforcer leurs positions. Ils se complaisent dans l'ignorance. Moins ils en savent, mieux c'est, car ça leur évite de faire des efforts mentaux et physiques. S'il fallait qu'ils trouvent des réponses, ils seraient obligés de réagir et ça, ça demande beaucoup trop.

Il faut arrêter de penser négativement et d'attendre la mauvaise nouvelle après la bonne. J'entends souvent des gens dire : «Bon! maintenant qu'il m'a lancé les fleurs il va sûrement me lancer le pot!» Comme si c'était tout ce que l'on méritait. C'est la même chose avec les bonnes nouvelles, on a peur qu'un malheur survienne par la suite, comme si on ne méritait jamais de bonnes choses. Et si, par hasard, un malheur se produit on s'empresse de dire qu'un malheur n'arrive jamais seul. On fait de même avec les bonnes séquences de vie, on n'ose pas s'en vanter et, si on le fait, on touche immédiatement du bois.

Notre façon de penser influence énormément les récompenses que la vie nous donne. C'est exactement comme avec un être humain. Plus on lui prouve qu'on l'aime et qu'on lui fait confiance, plus il nous favorise. Si on blâme constamment une personne, je ne crois pas qu'elle nous apporte beaucoup en retour. Vous devez aimer la vie, donc aimer ce que vous faites et surtout qui vous êtes. Bien sûr, vous êtes différent. Vous allez dire que vous c'est pas pareil! Je vous souhaite que ce ne soit pas pareil pour vous comme pour moi. Si la vie se déroulait identiquement pour tout le monde où serait le plaisir de vivre?

Avant d'entreprendre quoi que ce soit, si vous connaissiez le résultat, cela vous enlèverait tout le plaisir d'agir. Travailler fort à un projet et réussir me semble bien plus valorisant et satisfaisant. Il faut savoir analyser les situations et en tirer des conclusions. Ainsi, on évitera bien des mauvaises nouvelles.

Conclusion

La vie, le ciel et l'enfer sont des espaces auxquels l'homme se plaît et se rassure en y mettant une dimension physique. Toutefois, il n'en est rien. Seul l'esprit, ou l'âme, traverse ses champs et voyage en expérimentant ces états. Nous avons intérêt à réaliser ce phénomène et à jouir davantage de notre passage sur la terre.

La motivation joue un rôle important dans l'attitude que nous adoptons lors de notre séjour. Elle est la raison d'être d'une vie bien remplie. C'est grâce à elle que nous entreprendrons une foule d'expériences qui contribueront à notre évolution. Chaque matin, nous devons nous lever en nous disant que c'est une autre merveilleuse journée qui commence. Il ne faut pas se laisser abattre par le temps qu'il fait, les nouvelles à la radio ou dans les journaux.

Il faut être fier de pouvoir réaliser d'autres expériences au cours des heures subséquentes. Il faut savoir sourire aux gens qui composent nos journées. Même si celles-ci ne se déroulent pas entièrement à votre goût, vous devez retenir que rien n'est complètement mauvais. Notre attitude est notre principal facteur de réussite et nous devons continuellement l'entretenir. On ne doit pas tomber dans le piège de la dépendance et de l'influence. Trop de gens se laissent affecter par leurs voisins. Ils entrent au bureau heureux et ils en sortent agressifs et désabusés.

Il n'y a pas d'âge pour avoir une bonne attitude face à la vie. J'ai souvent entendu des personnes âgées dire qu'elles n'avaient plus rien à faire ici. Elles croyaient tellement ce qu'elles disaient qu'elles ne faisaient plus rien. Elles avaient arrêté de vivre en attendant la fin. Elles s'étaient donc déjà imposé la mort. Une mort qui, en réalité n'existe pas, sauf dans leur tête. Ce qui me désole le plus dans ce genre de situation, c'est que ces personnes enterrent leurs capacités et leurs possibilités pendant que d'autres aimeraient en bénéficier.

Les personnes âgées évaluent mal leur potentiel. Elles croient, et la société ne les aide pas en ce sens, qu'elles ne sont plus bonnes à rien parce qu'elles ont atteint un certain âge. J'ai moi-même souvent recours à elles lorsque j'ai besoin d'informations. Elles sont d'une aide précieuse dans bien des domaines. Elles ont acquis une expérience qui ne s'évalue pas. De ce fait, je recommande aux gens du troisième âge de prendre leur place dans la société. Ils ne doivent pas avoir peur de s'impliquer dans la vie sociale.

Ce n'est pas à la société de dicter à quel âge on est utile. Je crois qu'en tant qu'adultes, nous sommes capables d'évaluer nous-mêmes nos capacités. Comme je le mentionnais antérieurement, ceux qui prennent leur retraite vivent en moyenne 6 ans après s'en être prévalus. J'espère que la retraite n'est pas un but pour vous! À moins que vous soyez masochiste. Ce qui cause ce phénomène c'est le manque de planification. Les gens atteignent cette étape et ne sont pas prêts, ni mentalement ni physiquement. Ils ont hâte d'arriver à ce moment et quand ils l'atteignent ils sont dépourvus, ne sachant pas quoi faire de leurs loisirs.

Il faut se rappeler que dès notre enfance notre entourage nous a programmés et nous a mis en garde contre une foule de choses. C'est maintenant à nous de prendre le volant de notre vie et de la diriger là où nous le voulons. Nous devons cesser d'attendre après l'avis des autres et se faire une opinion par nous-mêmes. Il ne faut pas attendre d'avoir un accident pour réagir et réaliser ce que l'on est. Profitez maintenant de vos possibilités et de vos capacités. Jamais aujourd'hui ne reviendra et jamais demain n'arrivera car lorsqu'on croira atteindre «demain» il se transformera en «aujourd'hui».

Puisque les humains se vantent d'être supérieurement intelligents relativement aux autres espèces vivant sur la terre, pourquoi ne sommes-nous pas capables de vivre avec la nature? L'animal a compris qu'il ne doit pas manger ce qui n'est pas bon pour lui, c'est pourquoi il refusera d'avaler une pâture impropre à sa santé. De son côté, l'être humain ne s'attarde pas à ça, il bouffe ce qu'il veut, quand il veut et n'analyse pas la qualité de ses aliments. Qu'ils soient remplis de produits chimiques et de matières transformées, ça ne dérange rien pourvu qu'ils aient bon goût.

Je crois fortement que le bonheur sur la terre ne s'acquiert que lorsque tous les aspects de notre corps sont en parfaite harmonie. C'est pourquoi il ne faut en négliger aucun. Au fait, c'est plus facile d'aimer la vie si elle nous gâte que si elle semble nous persécuter. Alors, mettons toutes les chances de notre côté pour faciliter notre passage. Cessons de courir après l'enfer.

J'ai à m'adresser à des milliers de personnes chaque année et je m'aperçois que beaucoup de gens sont ouverts à la motivation. Toutefois, il y en toujours un certain nombre que je ne peux pas atteindre. Ceux-là, je les compare à des grains de maïs que l'on ferait éclater. Lorsqu'on fait du «pop corn» il y a une majorité de grains qui éclatent et bondissent de tous les côtés. C'est la même chose après mes conférences : il y a une majorité de gens qui prennent conscience et qui réagissent. Par contre il ne faut pas oublier qu'il reste toujours des grains qui n'ont pas voulu éclater au fond du chaudron et qui finiront dans la poubelle. Il en va de même pour les humains qui ne réagissent pas à la sensibilisation. Tout comme les grains qui n'ont pas eu de réaction, ils finiront là où ils le méritent.

Nous sommes en grande partie maîtres de notre vie. C'est à nous de décider comment nous voulons la vivre et surtout dans quelles conditions. Nous ne pouvons blâmer que nous si ça ne marche pas à notre goût. Je sais que des facteurs extérieurs peuvent venir déranger nos plans, mais il ne faut pas nous arrêter. Il nous faut nous relever comme l'a fait l'enfant qui commençait à marcher et continuer. C'est notre persévérance qui fera la différence.

C'est normal d'avoir des craintes lorsqu'on s'embarque dans quelque chose. Même les plus importants gens d'affaires ont les mêmes réactions. Sauf qu'ils n'arrêtent pas pour autant. Ils ont un but et veulent l'atteindre. Peu importe les efforts qu'ils auront à mettre, ils ne voient que la récompense qui les attend, la satisfaction de la victoire. Je sais que ça demande beaucoup de travail et de la discipline mais ça en vaut la peine.

Le message que j'aimerais laisser par ce volume en est un d'espoir. Nous avons tous le potentiel pour réussir, c'est à nous de l'exploiter. Si un problème survient, regardez-le, confrontez-le. Ne vous cachez pas derrière des béquilles telles que l'alcool ou la drogue. Votre courage est inestimable, utilisez-le.

Notre passage sur terre est peut-être éphémère mais, de son côté, la vie ne se termine jamais. Il faut donc s'appliquer à faire de son mieux afin de pouvoir répondre à la grande question : «Qu'avez-vous accompli sur cette terre dont vous pouvez être fier?»

Si vous avez la réponse, vous pouvez dormir tranquille, sinon, il n'est jamais trop tard pour bien faire. Et comme je me plais à le dire : «Si l'enfer vous attend, laissez-le attendre, vous méritez mieux que ça!»

À SUIVRE...

Achevé   Imprimerie
d'imprimer Gagné Ltée
au Canada Louiseville